WOLFHART PANNENBERG

Christliche Spiritualität

Theologische Aspekte

V&R

VANDENHOECK & RUPRECHT
IN GÖTTINGEN

Wolfhart Pannenberg

Geboren am 2. 10. 1928 in Stettin (Pommern), Studium der Theologie und Philosophie in Berlin, Göttingen, Basel und Heidelberg; Dr. theol. 1953 Heidelberg, Habilitation dort 1955, Prof. f. Systematische Theologie 1958 Kirchl. Hochschule Wuppertal, 1961 Univ. Mainz, 1967 Univ. München, dort Vorstand des Instituts für Fundamentaltheologie und ökumenische Theologie.
Veröffentlichungen: Die Prädestinationslehre des Duns Skotus, 1953; Offenbarung als Geschichte (mit R. und T. Rendtorff u. U. Wilckens) 1961, 5. Aufl. 1982; Was ist der Mensch? KVR 1139, 1962, 6. Aufl. 1981; Grundzüge der Christologie, 1964, 5. Aufl. 1976; Grundfragen systematischer Theologie, 1, 1967, 2. Aufl. 1971; Bd. 2, 1980; Erwägungen zu einer Theologie der Natur (mit A. M. K. Müller) 1970; Thesen zur Theologie der Kirche, 1970, 2. Aufl. 1974; Theologie und Reich Gottes, 1971; Das Glaubensbekenntnis, 1972, 4. Aufl. 1982; Gottesgedanke und menschliche Freiheit, 1972; Christentum und Mythos, 1972; Wissenschaftstheorie und Theologie, 1973, 2. Aufl. 1977; Gegenwart Gottes. Predigten, 1973; Glaube und Wirklichkeit. Kleine Beiträge zum christlichen Denken, 1975; Ethik und Ekklesiologie, 1977. Anthropologie in theologischer Perspektive, 1983.

CIP-Kurztitelaufnahme der Deutschen Bibliothek

Pannenberg, Wolfhart:
Christliche Spiritualität : theol. Aspekte /
Wolfhart Pannenberg. – Göttingen :
Vandenhoeck und Ruprecht, 1986.
(Kleine Vandenhoeck-Reihe ; 1519)
ISBN 3-525-33522-9
NE: GT

Kleine Vandenhoeck-Reihe 1519

Umschlag: Hans-Dieter Ullrich. –
Schrift: 9/11 Punkt Times auf der V-I-P
Gesamtherstellung: Verlagsdruckerei E. Rieder, Schrobenhausen

Inhalt

I. Protestantische Bußfrömmigkeit

Die Universitätstheologie arbeitet oft in einem gewissen Abstand vom Leben der christlichen Frömmigkeit. Das muß nicht notwendigerweise Ausdruck einer Entfremdung des Intellektuellen vom religiösen Leben sein, obwohl solche Entfremdung nicht allzu selten sein mag. Die spezifisch akademische Distanz der Theologie vom religiösen Leben ist in erster Linie eine Folge der Anforderungen historischer Untersuchung und philosophischer Reflexion. Beide gehören zum Ausweis der akademischen Kompetenz des Theologen, und so mag theologische Arbeit in vielen Fällen versunken sein in historische Details oder in der Entwicklung einer zusammenhängenden, möglichst genauen und einheitlichen systematischen Reflexion, als ob es sich dabei um Selbstzwecke handeln würde. Das Ansehen des Theologen als eines Gelehrten wird zum großen Teil nach solchen technischen Fähigkeiten beurteilt. Aber echte Theologie ist darüber hinaus immer gekennzeichnet gewesen durch die Fähigkeit, zentrale Motive des christlichen Glaubens so anzusprechen, daß die technischen Probleme der theologischen Sprache dabei zurücktreten. Es handelt sich dabei nicht einfach um Fragen der Lehre, etwa der Trinitätslehre oder auch der Lehre von Kreuz und Auferstehung Jesu Christi, vom Gottesreich oder der Lehre über den Glauben selbst. Derartige Lehrfragen haben sicherlich eine Beziehung zum Leben der christlichen Frömmigkeit, aber wenn sie für sich behandelt werden, abgelöst von ihren Wurzeln in der christlichen Erfahrung, kann man den Eindruck gewinnen, als handle es sich dabei nur um die leeren Hülsen einer alten Überlieferung. Andererseits kann in der Behandlung der speziellen Fragen exegetischer und systematischer Theologie sehr wohl ein religiöses Engagement wirksam und spürbar sein. Oft handelt es sich dabei um eine Spielart eines weit verbreiteten christlichen Frömmigkeitstypus. Man braucht nicht viel darüber zu sprechen, aber Hörer und Leser vernehmen dann sehr wohl den Grundton einer ihnen vertrauten Frömmigkeit, die sie vielleicht als identisch mit christlicher Frömmigkeit überhaupt betrachten. Für manche mag eine derartige Sprache dagegen den Zugang zu den vorgetragenen Gedanken versperren, weil sie die Form der

Frömmigkeit nicht zu teilen vermögen, die in dem Vortrag zum Ausdruck kommt. Andererseits können theologische Darlegungen geradezu enthusiastisch begrüßt werden, wenn in ihnen eine vertraute Frömmigkeit spürbar ist in Verbindung mit einer radikal kritischen Einstellung zu traditionellen Positionen und Formulierungen christlicher Lehre. So dürfte die Verbindung von pietistischer Frömmigkeit und radikaler Kritik einen großen Teil der Wirkung der Theologie der Bultmannschule vor einigen Jahrzehnten erklären. Sie fand ein abruptes Ende, als in der Studentenrevolution von 1968 der individualistische Charakter dieser Frömmigkeit deutlich wurde, der den politischen Anliegen der damaligen Studierenden nichts mehr sagte, während die politische Unterströmung des Barthianismus, tief begründet im calvinistischen Erbe, ihm zu einer Renaissance verhalf. Beobachter, die die besondere Frömmigkeitshaltung nicht teilen, die solchen theologischen Modeerscheinungen zugrunde liegt, stehen ihnen oft mit Unverständnis gegenüber. Natürlich gibt es auch konservative, evangelikale Beispiele solcher Verbindung von Theologie und Frömmigkeit und ihrer Breitenwirkung. Sei es in konservativer oder bilderstürmerischer Gestalt, in jedem Fall repräsentiert der emotional engagierte Theologe, der durch die Verbindung seiner theologischen Arbeit mit einer bestimmten Färbung christlicher Frömmigkeit wirksam wird, in besonderer Weise den Zusammenhang von Lehre und Frömmigkeit. Die Grundlagen bestimmter theologischer Denkweisen und vor allem auch ihrer Rezeption in bestimmten Frömmigkeitsformen sind freilich nur selten untersucht worden, und noch seltener wird ein Theologe bereit sein einzuräumen, daß sich in dem ihm selbstverständlichen Glaubensverständnis nur eine Form christlicher Frömmigkeit unter anderen ausdrückt.

In den bedeutenderen Ausprägungen christlicher Spiritualität haben wir es sozusagen mit dem Unterbau der Theologie zu tun. Die Veränderung der Brennpunkte christlicher Frömmigkeit macht vieles in der Geschichte der christlichen Lehre verständlich. Auf diese Weise wird z. B. verständlich, wieso zu einer gewissen Zeit die Lehre der Inkarnation das Zentrum der Theologie überhaupt bildete, zu einer anderen dagegen der Opfertod Christi und wieder zu einer anderen die Lehre von der Rechtfertigung durch den Glauben. Die Sehnsucht nach Teilhabe am Ewigen und das Leiden an der Endlichkeit dieses Lebens fanden eine Antwort in der Botschaft von der Inkarnation. In der mittelalterlichen Kirche hingegen gewann angesichts eines zunehmend strengen und mit der Drohung des Gerichts verbundenen Gottesbildes die Frage nach der Versöhnung des göttlichen Zorns zentrale Bedeutung. Der Siegeszug der Lehre von der stellvertretenden Satisfaktion für unsere Sünden durch den Tod Christi im Mittelalter läßt sich kaum verstehen ohne diesen Hintergrund in der Frömmigkeit der Zeit. Um das zu sehen, muß man allerdings erst darauf aufmerksam geworden sein, daß die im Tode Christi gewirkte Versöhnung im Neuen Testament nicht den Sinn einer Besänftigung des Zornes Gottes durch den Gottmenschen Jesus anstelle der übrigen, zu solcher Satisfaktion unfähigen Menschen hat, sondern vielmehr Gott selbst dort Subjekt des Versöhnungshandelns ist. Man erkennt dann, daß die Deutung der Versöhnung im Sinne einer von Jesus geleisteten Satisfaktion spezifischer Ausdruck westlich-mittelalterlicher Frömmigkeit war. Mit den in der mittelalterlichen Frömmigkeit dominierenden Schuldgefühlen, verbunden mit der Frage nach der Besänftigung des göttlichen Zorns durch Reue und Bußwerke, hängt auch noch die große Wirkung der Lehre Luthers von der Rechtfertigung durch den Glauben zusammen. Dabei verband sich hier die Befreiung von der Verstrickung in Schuldgefühle und Bußwerke mit der Befreiung von einer als tyrannisch und ausbeuterisch erfahrenen kirchlichen Hierarchie zu einer neuen Unmittelbarkeit im Verhältnis zu Gott.

In jedem dieser historisch bedeutenden Typen christlicher Frömmigkeit war jeweils ein ganzes Weltbild enthalten, wenn es auch innerhalb eines und desselben Frömmigkeitstypus in den Einzelzügen sehr variabel sein konnte. Die Haupttypen christlicher Frömmigkeit sind nicht nur Ausdruck von subjektiven Einstellungen, wie sie die traditionelle Religionspsychologie unter dem Namen der Frömmigkeit diskutiert hat, sondern sie repräsentieren auch jeweils eine komplexe Konstellation gesellschaftlicher und historischer Bedingungen und sind so der Erscheinung verwandt, die man als den Geist eines Zeitalters bezeichnet hat, obwohl ihre Lebenskraft größer gewesen zu sein scheint: die großen christlichen Frömmigkeitstypen haben das Ende des Zeitalters, in dem sie entstanden, oft überdauert.

Was sind ihre charakteristischen Elemente? In erster Linie gehört dazu die Auszeichnung eines bestimmten Brennpunktes innerhalb der christlichen Lehre. Zweitens sind sie mit spezifischen Auffassungen der Welt persönlicher und gesellschaftlicher Erfahrung verbunden. Drittens gehört ein charakteristischer Lebensstil oder auch eine Mehrzahl von komplementären Lebensstilen zu der jeweiligen Auffassung der christlichen Lehre und der entsprechenden Auffassung vom Leben des Menschen in der Welt. So konnte der Typus christlicher Frömmigkeit, der durch die Sehnsucht nach Teilhabe am Ewigen gekennzeichnet war, sich sowohl in einer spezifisch sakramentalen Frömmigkeit als auch in einem Leben monastischer Meditation äußern. Der für das mittelalterliche Christentum des Westens kennzeichnende Frömmigkeitstyp war mit einem Interesse an allen Formen einer stellvertretenden Vermittlung zwischen den Sündern und dem zornigen Gott verbunden. Verehrung der Heiligen und Reliquienverehrung, Pilgerzüge, die vermittelnde Funktion des Priesters in der Darbringung des eucharistischen Opfers und dessen Auffassung als Sühnopfer waren charakteristische Züge dieser Frömmigkeitsform und ihres dominierenden Anliegens. Man darf diese verschiedenen Erscheinungen daher nicht als unterschiedliche und je für sich selbständige Frömmigkeitstypen betrachten, sondern muß sie vielmehr als einander ergänzende Elemente eines Gesamtbildes ansehen.

In den Bettelorden des 13. Jahrhunderts dagegen scheint sich ein neuer Frömmigkeitstypus vorbereitet zu haben, eine Frömmigkeit nämlich, die auf unmittelbare Gemeinschaft mit Gott zielte. Dieses Anliegen entwickelte seine volle Dynamik in einer Reihe von charakteristischen Erscheinungen des 14. Jahrhunderts, in der späteren Franziskanertheologie, in der Mystik und in einem erneuerten Augustinismus. Es scheint, daß auch die Reformation aus dem breiteren Frömmigkeitsspektrum dieser Zeit hervorgegangen ist. Die Reformation läßt sich in mancher Hinsicht als eine neue Form des Strebens nach Unmittelbarkeit zu Gott betrachten, eines Strebens, das immer, wenn auch oft nur implizit, in einer kritischen Beziehung zum System kirchlicher Vermittlung stand.

Allerdings hat die Reformation schließlich einen eigenen, neuen Frömmigkeitstypus begründet, der vielleicht seine am ehesten klassisch zu nennende Ausdrucksform in Luthers Traktat über die Freiheit eines Christenmenschen gefunden hat: Unmittelbarkeit des einzelnen im Verhältnis zu Gott auf der Basis der Sündenvergebung und ein Leben des Dienstes an den Mitmenschen unter dem Gesichtspunkt der je individuellen Berufung. Beide Gesichtspunkte haben sehr unterschiedliche Ausprägungen gefunden, je nachdem, ob bei dem ersten die Verknüpfung des Gedankens der Gewissensfreiheit mit der politischen Freiheit erfolgte, und je nachdem, ob der Luthersche Berufsgedanke sich mit einem ständischen Gesellschaftskonzept verband oder einfach im Sinne der je persönlichen Erwählung und ihrer Bestätigung im sittlichen Leben und Lebenserfolg des Individuums aufgefaßt wurde. In allen ihren Schattierungen aber verdankt sich die Dynamik dieser protestantischen Frömmigkeit der unmittelbaren Beziehung zu Gott und dem Glauben an die Gegenwart Christi selbst durch den Geist in den Glaubenden.

Es kann nicht der Zweck dieser einleitenden Ausführungen sein, eine Skizze der Geschichte christlicher Frömmigkeit von der Alten Kirche bis zum christlichen Humanismus der Aufklärung und der Erweckungsfrömmigkeit zu geben. Statt dessen soll die Frage gestellt werden, ob es möglich ist, Entstehung und Verfall der historischen Typen christlicher Frömmigkeit zu erklären. Das ist unter anderem auch deshalb eine wichtige Frage, weil sie geeignet ist, die inneren Beziehungen der Frömmigkeit zu den Realitäten des Lebens in den Blick zu bringen und folglich auch die Möglichkeit, die Tragfähigkeit bestimmter Formen der Frömmigkeit zu erproben und kritisch zu beurteilen. Das Bemühen um eine Antwort auf diese Frage wird auch Kriterien ergeben zur Beurteilung von Ansätzen zu neuen und zeitgemäßeren Formen christlicher Spiritualität. Wie schon gesagt, hat ein Frömmigkeitstypus immer auch eine Beziehung zur Erfahrung der jeweiligen Lebenswelt. Das ist der Ansatzpunkt für die Frage, inwieweit eine Frömmigkeitsform realitätsgerecht ist. Die Frage soll in diesem Kapitel Anwendung finden auf einen Fall von besonderer, bis in die Gegenwart reichender Bedeutung, auf den Verfall der pietistischen Umformung protestantischer Frömmigkeit oder, genauer gesagt, auf die kritische Destruktion des Schuldbewußtseins.

Schuldbewußtsein ist nicht schon als solches ein Typus christlicher Frömmigkeit. Es ist überall in menschlicher Erfahrung anzutreffen, jedenfalls in weiterem Sinn, wenn man die Phänomene der Scham und des Schreckens vor Folgehaftung mit hinzunimmt.[1] Ein Schuldbewußtsein im engeren Sinn hat sich bei den Griechen erst in Verbindung mit der Entwicklung des Gewissensbegriffs ausgebildet. Dagegen spielte es schon früh eine Rolle im Judentum und erlangte besonderes Gewicht im Christentum, weil die christliche Botschaft so eng verbunden ist mit Vergebung der Sünden und Befreiung von der Macht der Sünde durch den Tod Jesu Christi. Allerdings sind Schuldgefühle in einigen Formen des Christentums einflußreicher geworden als in anderen, und sie haben zunehmende Bedeutung im westlichen Christentum erlangt. Das augustinische Dogma der Erbsünde war ein spezifisches Produkt des christlichen Westens, und die Entwicklung der Bußinstitution von der Regelung von Ausnahmefällen zu einem das Leben jedes Christen bestimmenden Ritual, in Verbindung mit der Verbreitung der vom Mönchtum ausgegangenen Beichtsitte, brachte eine Kultivierung von Gewissenserforschung und Schuldgefühlen hervor, durch die das Schuldbewußtsein zu einem Brennpunkt mittelalterlicher Frömmigkeit wurde. Diese Entwicklung war, von den Anfängen des Christentums her geurteilt, alles andere als selbstverständlich.

In der frühen Christenheit galten Sünde und Schuld als ein für allemal vergeben durch das Sakrament der Taufe. Der Geist des frühen Christentums war durch die Erfahrung der Befreiung von Sünde und Tod durch die Gemeinschaft mit Christus gekennzeichnet. Gegen Ende des 2. Jahrhunderts wurde jedoch eine allgemeine Regelung der Frage unausweichlich, ob Christen, die sich ernster Vergehen schuldig gemacht hatten, aus der Gemeinde ausgeschlossen werden mußten oder ob ihnen eine zweite Chance der Teilhabe am ewigen Leben gewährt werden konnte. Jetzt wurde die Institution einer »zweiten Buße« geschaffen, der zweiten, weil die erste und eigentliche Buße in der Taufe vollzogen worden war. In der Alten Kirche blieb diese zweite Buße, die als öffentliche Buße unter harten Bedingungen vollzogen wurde, jedoch eine Ausnahme. Erst in der westlichen mittelalterlichen Kirche wurde die Buße, und zwar nun in Verbindung mit der Beichte und als ein periodisch wiederholtes Ritual, zu einem normalen Element jedes Christenlebens und bestimmte in zunehmendem Maße die christliche Frömmigkeit. Es ist wohl bekannt, daß diese Entwicklung in Nordeuropa durch die missionarische Tätigkeit der irischen und britischen Mönche im Frühmittelalter gefördert wurde, die in ihren Klöstern die Sitte der gegenseitigen Beichte entwickelt hatten und sie nun auf die von ihnen Neubekehrten übertrugen. So kam es dazu, daß das Lebensgefühl der Christen im Gegensatz zum Frühchristentum durch das Gefühl bestimmt wurde, unter der Macht und Last der Sünde zu leben. Ihre Kathedralen betraten sie zwischen den die Portale flankierenden törichten und klugen Jungfrauen und unter der Darstellung des Jüngsten Gerichts hindurch. Im Inneren blickte ihnen oft Christus als der Weltenrichter von der Apsis her entgegen. Das unterschwellige Bewußtsein einer Trennung von Gott erklärt erst das Verlangen nach Vermittlung, das in verschiedensten Formen so viele Aspekte mittelalterlicher Frömmigkeit bestimmte.

Mit dieser Spiritualität hatte es noch die Reformation zu tun. Für die

Reformatoren war das Evangelium die Botschaft der Befreiung von Sünde, Angst, Anfechtung und Schuldbewußtsein, aber diese Botschaft richtete sich in ihrem Verständnis eben an den unter dem Bewußtsein seiner Schuld leidenden und nach Versöhnung mit Gott suchenden Menschen. Aus Gründen, die später noch zu erörtern sind, konnte sich die protestantische Frömmigkeit trotz der Neuentdeckung der christlichen Freiheit nicht von den Fesseln des Schuldbewußtseins befreien. Im Gegenteil, die Predigt des Gesetzes mußte dazu dienen, bei den sittlich Laxen das Schuldbewußtsein erst zu erzeugen, das sie dazu bringen sollte, sich als Adressaten des Evangeliums der Sündenvergebung zu verstehen. Der protestantische Pietismus konzentrierte sich zunehmend auf diese Funktion des Bewußtseins von Sünde und Schuld als Bedingung des Heilsglaubens. Man konnte der Erlösung gewiß sein nur in dem Maße, in dem man sich selbst als Sünder identifizierte und sich daher seiner Abhängigkeit von der Gnade Gottes bewußt wurde, wie der Zöllner im 18. Kapitel des Lukasevangeliums.

Es war kein Zufall, daß es gerade im Protestantismus zu einer heftigen Reaktion gegen diese Mentalität kam. In seiner Genealogie der Moral (1887) hat Friedrich Nietzsche eine schneidende Kritik der Kultivierung von Schuldgefühlen in der christlichen Frömmigkeit und Moral vorgetragen. Der ursprünglich selbst einmal vom Pietismus erfaßte junge Nietzsche revoltierte gegen den Moralismus und Selbsthaß der pietistischen Mentalität und setzte ihren Klagen über Sünde und Schuld das Postulat einer neuen, selbstbewußten Unschuld entgegen. Er leitete die Begriffe von Schuld, Pflicht und Gewissen nicht von einem noblen Bewußtsein der moralischen Bestimmung des Menschen ab, sondern aus den profanen Wurzeln des Wirtschaftslebens, aus ökonomischen Verpflichtungen und Schulden. Er diagnostizierte das schlechte Gewissen als eine Krankheit der Seele, als Fall einer nach innen gewendeten Aggression.[2] Vor allem aber identifizierte er den biblischen Gott als den Richter über die Sünden der Menschen, als eine Projektion des schlechten Gewissens, und behauptete, daß mit dem christlichen Gottesgedanken das Maximum an Schuldbewußtsein in der Geschichte der Menschheit erreicht worden sei. Die Destruktion dieses christlichen Gottes durch den Atheismus sollte nach Nietzsche die Befreiung der Menschheit von der Last des Schuldbewußtseins bewirken. »Atheismus und eine Art *zweiter Unschuld* gehören zu einander«.[3]

Nietzsche betrachtete das »asketische Ideal« des Christentums und seine Intensivierung der Schuldgefühle als die verhängnisvollsten Entwicklungen in der »Gesundheitsgeschichte« des europäischen Menschen.[4] In seiner Sicht bedeutete die masochistische Intensivierung der Schuldgefühle die Zerstörung der seelischen Gesundheit, eine Kritik, die wenig später in merkwürdig ähnlicher Gestalt von Sigmund Freud vorgetragen wurde. Obwohl Freud über die menschliche Natur selbst pessimistischer dachte als Nietzsche und die Notwendigkeit einer Unterdrückung des Aggressionstriebs als Bedingung jeder Kulturentwicklung betonte, charakterisierte er doch ganz im Sinne Nietzsches das schlechte Gewissen als eine Form der Selbstaggression unter dem Druck des gesellschaftlichen Überich.[5] Er betrachtete die Religion als aus dem Schuldbewußtsein entstandene Massenneurose. Schon Nietzsche hatte den Ausdruck »Neurose« benutzt, und er war auch der erste, der den Ursprung der Religion in der Angst vor den Ahnen und ihrer Macht, verbunden mit dem Gefühl einer ihnen gegenüber bestehenden Schuld vermutete.[6] Diese Gedanken erinnern den modernen Leser unvermeidlich an Freuds »Totem und Tabu«, das aber erst 1913 erschien. Freud griff die christliche Religion nicht so leidenschaftlich an, wie Nietzsche das getan hatte. Hinsichtlich der Religion im allgemeinen neigte er aber zu Auffassungen, die denen sehr ähnlich waren, die Nietzsche im Zusammenhang seiner Kritik an der Bußmentalität christlicher Frömmigkeit entwickelt hatte. Da auch Freud Schuldbewußtsein in erster Linie als Selbstaggression betrachtete, warnte er vor übertrieben strengen Anforderungen des kulturellen Überich an das Ich[7], weil solche Anforderungen den einzelnen in die Neurose treiben können und die Menschen ihrer Chance berauben, ihre Ichidentität zu entwickeln und zu stärken.

Die vereinigte Wirkung von Nietzsche und Freud im Prozeß der Aushöhlung der traditionellen moralischen Normen läßt sich kaum überschätzen. Heute erscheinen moralische Normen nicht mehr als absolute Forderungen an das Individuum, sondern als verinnerlichte, vom Überich übernommene Ansprüche der Gesellschaft gegenüber dem einzelnen. Wenn solche Ansprüche dazu führen, daß die individuelle Identität bedroht scheint, wird sich der Vorwurf gegen die Gesellschaft richten, und am Ende mag eine Änderung ihres Normenbewußtseins stehen. Die direkten und indirekten Wirkungen der Moralkritik Nietzsches und Freuds auf Selbstverständnis und Lebensführung der Menschen dieses Jahrhunderts bedürfen noch eingehender Studien. Die Auswirkungen auf die öffentliche Glaubwürdigkeit der traditionellen christlichen Frömmigkeit aber sind schlechthin katastrophal. Die Bußgesinnung, die früheren Zeiten als ehrwürdig galt, ist als Ausdruck seelischer Erkrankung demaskiert worden, als eine besonders subtile und schädliche Form masochistischer Selbstaggression. Bis zum heutigen Tag ist diese Kritik im christlichen Denken, in der Theologie und im Leben der christlichen Kirche nicht ernst genug genommen worden. Sie konfrontiert die christliche Theologie mit der Frage, ob Gott tatsächlich in einem unüberwindlichen Gegensatz zu menschlicher Identität und Freiheit steht und ob die Menschen durch den christlichen Glauben in neurotische Lebenshaltungen geführt und in ihnen festgehalten werden. Der pietistische Typ protestantischer Frömmigkeit, der bei Nietzsche Anlaß zu dieser Kritik gegeben hatte, bleibt unglücklicherweise in hohem Maße gefährdet und verwundbar durch diese Argumentation. Da der Pietismus durch die Erweckungsfrömmigkeit so viele Ausprägungen des Protestantismus durchdrungen hat, ist das Ergebnis eine emotionale Krise christlichen Bewußtseins, die große Teile des Protestantismus erfaßt hat. Die römisch-katholische Frömmigkeit ist von dieser Krise ebenfalls betroffen, erkennbar vor allem an der Krise des Bußsakraments in der römisch-katholischen Kirche, aber die Auswirkungen sind doch geringer, weil die Bußfrömmigkeit dort nicht die zentrale Bedeutung hatte wie im Protestantismus.

Warum ist die Bußmentalität der pietistischen Frömmigkeit im Protestantismus so verwundbar durch die Kritik Nietzsches und Freuds? Das ist wohl darum so, weil der Pietismus, besonders in seinen späteren, durch die Erweckungsfrömmigkeit bestimmten Formen, die Reue über Schuld und Sünde zur grundlegenden und dauernden Bedingung für die Echtheit des Glaubens an das Evangelium der Sündenvergebung und damit für die Gemeinschaft mit Gott machte. Wenn aber Schuldbewußtsein Ausdruck von Nichtidentität ist, dann hält ein solcher Frömmigkeitstyp in der Tat das Individuum in einem Zustand der Entfremdung fest. Es gibt dann keinen Ausweg aus dem Gefühl der Entfremdung, weil diese Entfremdung selber Grundlage einer imaginären Konzeption von Identität im Namen von Erlösung geworden ist. Eine solche Konzeption von Selbstidentität aber ist dazu verurteilt, phantastisch zu bleiben, weil das Bewußtsein dieser Entfremdung als dauerndes Selbstbewußtsein persönlicher Sündhaftigkeit dem Individuum nicht erlaubt, eine konkrete Identität zu gewinnen.

Dieses Problem trat in der Geschichte des Protestantismus nicht immer so deutlich in Erscheinung, obwohl es schon in zentralen Lehren der Reformatoren angelegt ist. Die reformatorische Botschaft zielte natürlich nicht auf das Schuldbewußtsein als solches, sondern vielmehr auf die Befreiung des Glaubenden von den Ängsten und der Anfechtung des Bewußtseins seiner Sünde und von der Ungewißheit des Sichabmühens mit endlosen Versuchen der Vermittlung und Überwindung des Gegensatzes zu Gott. Die Befreiung aus diesem Elend der Entfremdung wurde begründet auf die in Christus gegebene göttliche Verheißung, die durch die von Gott inspirierten Schriften bezeugt wird. Solche Befreiung war für den einzelnen zugänglich wegen der Unmittelbarkeit des glaubenden Christen zu dem verheißenden Gott und seiner in Christus gegebenen Zusage. Um die in Christus eröffnete Freiheit zu empfangen, war nichts erforderlich außer der Annahme dieser Verheißung, die identisch ist mit dem Vertrauen auf sie, also mit dem Akt des Glaubens. Von Anfang an jedoch lauerte ein Problem in dieser neuen protestantischen Lehre von der christlichen Freiheit, besonders in ihrer lutherischen Gestalt: das Problem der Bindung der Rechtfertigungsgewißheit an den aktuellen Zuspruch der Vergebung. In Luthers eigener Lehre freilich war die im Glauben ergriffene Rechtfertigung begründet auf eine gewissermaßen »mystische« Teilhabe des Glaubenden an Christus *extra nos,* außerhalb seiner selbst. Luther glaubte, daß solche Teilhabe an Christus im Akt des Vertrauens vollzogen wird, weil wir dann, wenn wir uns vollständig jemandem anvertrauen, in einem ganz buchstäblichen Sinne uns selbst »verlassen« auf den, dem wir vertrauen. Unsere Zukunft, unser Leben, ist dann abhängig von dem, dem wir unser Vertrauen geschenkt haben. Daher haben wir durch den Glauben Anteil an Jesu Leben, Geist und Gerechtigkeit. Das ist die Grundlage eines neuen Lebens des Glaubenden *extra nos in Christo,* obwohl er in sich selbst ein Sünder bleibt, der immer wieder der Vergebung bedarf. Solche Vergebung ereignet sich, indem Gott unsere Verbundenheit mit Christus im Glauben uns anrechnet entgegen der Sündhaftigkeit, die wir an uns selber wahrnehmen. In theologischer Terminologie wurde dieser Sachverhalt als Anrechnung, Imputation, der Gerechtigkeit Christi bezeichnet oder als »forensische Rechtfertigung«, weil die Rechtfertigung hier im Akt eines göttlichen *Urteils* über den Sünder besteht. Doch wenn solche forensische Rechtfertigung abgelöst wird von der grundlegenden Intuition einer »mystischen« Teilhabe an Christus durch den Glauben, dann resultiert ein eigentümlich atomistischer

Aktualismus, eine Teilhabe an der Rechtfertigung nur im Empfang des göttlichen Zuspruchs der Vergebung. Wir bedürfen, so scheint es dann, der Verheißung der Vergebung Gottes immer wieder, weil wir immer wieder in Sünde zurückfallen. Die Tendenz zu einem derartigen Aktualismus ist schon bei Melanchthon spürbar, dessen nüchterne Rationalität wenig Zugang zu den mystischen Wurzeln von Luthers Denken hatte. Die Funktion der Taufe als Begründung eines dauerhaften neuen Lebens in Christus wurde durch solchen Aktualismus beeinträchtigt, weil trotz der Taufe die Sünde bleibt und immer wieder göttliche Vergebung notwendig ist. So wird es zur offenen Frage, wie Kontinuität einer neuen Existenz in Christus erreichbar ist und inwiefern die Glieder der in der Kirche sich versammelnden Gemeinde sich als Christen von andern Sündern unterscheiden. In Luthers Theologie hatte die Taufe eine neue Existenz des Individuums außerhalb seiner selbst in Christus begründet, und christliche Buße war für ihn nichts anderes als eine fortgesetzte Aneignung des in der Taufe Geschehenen. Aber die Beziehung des Vergebungszuspruchs, der »forensischen Rechtfertigung«, zu Luthers Betonung der Taufe verblaßte bald in der reformatorischen Frömmigkeit und Liturgie. In späteren liturgischen Texten der lutherischen Kirchen gibt es weniger Bezugnahmen auf die Taufe als man besonders in Verbindung mit dem gottesdienstlichen Sündenbekenntnis erwarten sollte. So wurde es zum Problem, wie eine dauerhafte christliche Existenz möglich ist. Der frühe Pietismus löste dieses Problem durch die Forderung nach einer einmaligen Bekehrung und Wiedergeburt in der persönlichen Entwicklung jedes Christen. Die Identität eines neuen Lebens in Christus sollte nun *innerhalb* des Individuums und seiner Entwicklung gewonnen werden, statt *außerhalb unserer selbst* durch den Glauben an Christus, wie Luther gelehrt hatte, und die pietistische Forderung nach einer datierbaren, das ganze künftige Leben bestimmenden Bekehrung zu einem neuen Leben in Christus war stets mit der Gefahr verbunden, Ausgangspunkt für neue Formen der Selbstgerechtigkeit zu werden. Die Erweckungsbewegungen seit der Mitte des 18. Jahrhunderts betonten dagegen die Notwendigkeit wiederholter Buße und Vergebung, aber das unvermeidliche Resultat mußte dann der Aktualismus eines sich immer wiederholenden Kreislaufs von Sünde und Vergebung sein. Dieser Kreislauf von Sündenbewußtsein und Vergebungszuspruch hat leider dominierende Bedeutung nicht nur in den lutherischen Kirchen, sondern auch in der Frömmigkeit anderer protestantischer Traditionen gewonnen.

Die potentiellen Gefahren eines solchen Aktualismus traten so lange noch nicht voll in Erscheinung, als die Autorität der Bibel, die die göttliche Verheißung enthielt, unangefochten feststand. Die Bibel garantierte gewissermaßen die Kontinuität der Existenz des Christen durch ihr Zeugnis von der göttlichen Verheißung, die jedem Tun der Menschen vorangeht. Als aber in der Folge der rationalistischen Bibelkritik die Autorität der Schrift ihre öffentliche Geltung verlor und selber zu einer Sache des Glaubens und der christlichen Erfahrung erklärt wurde, da verschob sich unvermeidlich auch das Verhältnis von Sündenbewußtsein und Vergebungsgewißheit. Die Erfahrung der eigenen Sündhaftigkeit wurde nun zum Kriterium für die Wahrheit des Evangeliums selber, entsprechend dem für diese Mentalität klassischen Ausspruch F. A. G. Tholucks (1799–1877): Findet der Mensch »diejenige Offenbarung, welche den Zwiespalt in seinem Inneren aufs Gelungenste löst, so ist diese ihm die wahre«.[8] Im Hinblick darauf ist verständlich, daß Evangelisation immer wieder damit beginnt, die Sündhaftigkeit der Menschen einzuschärfen.

Das Glaubensverständnis der lutherischen Reformation wurde auf dem Wege über den Pietismus zur Erweckungsfrömmigkeit erheblich modifiziert, in mancher Hinsicht sogar in sein Gegenteil verkehrt. Dennoch gibt es eine Linie der Kontinuität, die von den Lehren der Reformation zur subjektivistischen Frömmigkeit der Erweckung hinführt. Die Reformation hatte sich, besonders in ihrer zentralen Lehre von der Rechtfertigung aus Glauben, von einer theologischen Reflexion über das mittelalterliche Bußsakrament und seine Probleme her entwickelt. Indem die Verheißung Gottes und Christi selbst an die Stelle der Absolution des Priesters trat, überwand die Reformation das mittelalterliche Bedürfnis nach Vermittlung zwischen dem Sünder und einem zornigen Gott und erreichte eine neue Unmittelbarkeit zu dem in Christus gegenwärtigen Gott. Gleichzeitig jedoch wurde der Gedanke der Buße weit über jenen besonderen sakramentalen Ritus hinaus ausgedehnt und durchdrang nun das Leben des Christen in jeder Hinsicht. Die Bußgesinnung wurde allgegenwärtig. Einen charakteristischen Ausdruck fand diese Konzeption lutherischer Theologie in der lutherischen Interpretation der Unterscheidung zwischen Gesetz und Evangelium.

Die Stichworte dieser Unterscheidung fand man in der Heiligen Schrift, besonders beim Apostel Paulus, obwohl dieser sie noch nicht in einer Formel vereint hatte. In Luthers Sicht bezogen sich diese beiden Stichworte indessen nicht, wie in den paulinischen Briefen, auf zwei verschiedene Perioden der göttlichen Offenbarungsgeschichte, sondern vielmehr auf zwei gleichzeitig wirksame Prinzipien im christlichen Leben. Diese Veränderung ist nur verständlich im Blick auf die Praxis des Bußsakramentes oder der Beichte in der mittelalterlichen Kirche: Luthers Verständnis des Gesetzes entspricht der Funktion der göttlichen Gebote in der Beichte, wo der Beichtvater sie dem Beichtenden vorhält, um ihm seine Sünden in Erinnerung zu rufen. Luthers Verständnis des Evangeliums und seiner Verkündigung als Zuspruch der Sündenvergebung entspricht den Worten der Absolution in der Beichte. Wenn man bedenkt, wie viele evangelische Predigten nach den Gesichtspunkten der Aufdeckung der Sünde durch die Predigt des Gesetzes und des Zuspruchs der Vergebung an den zerknirschten Sünder durch die Verkündigung des Evangeliums aufgebaut worden sind, wird deutlich, wie umfassend der Einfluß der Bußfrömmigkeit in der protestantischen Tradition gewesen ist. Der Pietismus brauchte das nur fortzusetzen. Er brauchte nur die psychologische Folge, die von reumütiger Erkenntnis des menschlichen Sündenelends zum freudigen Empfang der göttlichen Verheißung führt, die von diesem Elend befreit, weiter auszubauen: Gebahnt hatte diesen Weg schon Melanchthon.

Obwohl in dieser Bußfrömmigkeit die Besinnung auf die menschliche Sündhaftigkeit den Ausgangspunkt auf seiten der religiösen Erfahrung bildete, ist sie ursprünglich nicht als Ausdruck von Selbstaggression zu verstehen, die den einzelnen seiner persönlichen Identität beraubt. Im Gegenteil, die Dynamik dieser Frömmigkeit zielte gerade auf die Begründung einer neuen und solideren Identität des einzelnen in der Freiheit eines Christenmenschen, unabhängig von aller nur menschlichen Autorität. Die Reformation hat dieses Ziel unter den Bedingungen der mittelalterlichen Bußmentalität und als Verwandlung dieser Einstellung auch tatsächlich erreicht, und sie hat damit ein Beispiel dafür gegeben, wie ein Frömmigkeitstypus eine Interpretation der Welt menschlicher Erfahrung impliziert, eine geschichtliche Lebenswelt begründet. Solange wie die mittelalterliche Bußmentalität eine selbstverständliche Realität war, blieb die befreiende Wirkung der protestantischen Rechtfertigungslehre wirksam. Allerdings war das Bewußtsein persönlicher Sündhaftigkeit nicht nur der zufällige historische Anlaß für die neue Formulierung der christlichen Freiheit gewesen, sondern war auch die systematische Voraussetzung ihrer

Wirksamkeit. Daher mußte es unvermeidlich zu einer Krise der Frömmigkeit kommen, wenn diese Voraussetzung ihre selbstverständliche Plausibilität verlor infolge von Änderungen im Menschenbild, in deren Konsequenz das göttliche Gesetz als weniger bedrohlich und Gott selbst mehr als fürsorgender Vater denn als unerbittlicher Richter erschien. Unter so veränderten Voraussetzungen die protestantische Bußfrömmigkeit zu erhalten und die mit ihr verbundene Predigt von Gesetz und Evangelium in der gewohnten Form fortzusetzen, erforderte eine Sicherstellung der vorausgesetzten Mentalität entgegen den Tendenzen zu ihrer Erosion. Das wurde nun die Funktion der Predigt von Gesetz und Evangelium. Die Predigt des Gesetzes mußte nun immer wieder ein Schuldbewußtsein erst erzeugen, das ohne sie gar nicht entstehen würde. In einer geschichtlichen Welt, die durch ein optimistischeres Bild vom Menschen bestimmt wurde, mußte der Versuch immer angestrengter und fremdartiger wirken, durch die Bedrohung mit dem göttlichen Gesetz ein Sündenbewußtsein zu erzeugen, das keine Basis in der menschlichen Selbsterfahrung mehr hatte, und das bei Menschen, für die es sich nicht mehr von selbst verstand, daß der göttliche Wille ihnen tatsächlich so bedrohlich entgegentrat.

Die zunehmende Kluft zwischen den traditionellen Formen protestantischer Frömmigkeit und dem, was als unbefangene Erfahrung menschlicher Wirklichkeit gelten konnte, äußerte sich in zunehmend neurotischen Zügen der pietistischen Frömmigkeit. Unvermeidlich wurde die Botschaft von der christlichen Freiheit verdunkelt von der zunehmenden Anstrengung des Bemühens, dem Sündenbewußtsein durch kräftige Schläge mit dem Hammer des göttlichen Gesetzes seine Empfindlichkeit zu erhalten. Die immer größere Mühe, die man auf die Sicherung des Sündenbewußtseins verwenden mußte, das für die Verkündigung der umsonst gewährten Vergebung nun einmal die Voraussetzung bildete, brachte eine spezifisch protestantische Form der Selbstgerechtigkeit hervor. Der gute Protestant weiß, daß seine einzige Chance zur Gerechtigkeit vor Gott darin besteht, daß er sich bei der Verkündigung des Gleichnisses von Zöllner und Pharisäer auf der richtigen Seite findet, nämlich an der Seite des Sünders, des Zöllners, keinesfalls auf der des Pharisäers. Das Sündenbewußtsein muß deshalb auf dem Siedepunkt gehalten werden. Dabei wird leicht übersehen, daß sich der gute Protestant mit solchen Bemühungen bereits auf dem Platz des Pharisäers befindet. Protestantische Selbstgerechtigkeit bedarf nicht unbedingt guter Werke. Die entscheidende Aufgabe besteht darin, die eigene Einstellung zu kontrollieren und in Ordnung zu halten. Die Spürhunde der Selbstaggression, die dazu benötigt werden, können allerdings leicht außer Kontrolle geraten. Auf jeden Fall hat sich die herrliche Freiheit, die einmal den Inhalt der Lehre von der Rechtfertigung aus dem Glauben bildete, in weite Ferne zurückgezogen, es sei denn, daß es dem modernen Protestanten gelingt, sein Sündenbewußtsein auf den Sonntagsgottesdienst zu beschränken, um dort durch die Versenkung in die eigene Sündhaftigkeit der Gemeinschaft mit dem Zöllner als Empfängers der göttlichen Vergebung versichert zu werden. Von den allgemeinen Schuldgefühlen, um die es sich hier handelt, gilt, daß nur ihr perverser Gebrauch sie erträglich macht. Protestantische Theologen und kirchliche Amtsträger haben sich in den letzten Jahrzehnten häufig gefragt, warum die reformatorische Lehre von der Rechtfertigung durch den Glauben so unwirksam geworden ist. Eine Antwort auf diese Frage besteht darin, daß unter den Bedingungen einer veränderten Anthropologie und veränderter ethischer Einstellungen das lutherisch gedeutete Schema von Gesetz und Evangelium zur Erzeugung eines entfremdeten Bewußtseins beigetragen hat. Am Maßstab zur reformatorischen Idee der christlichen Freiheit gemessen, ist dieses Resultat zweifellos das Gegenteil des Beabsichtigten. Das bedeutet freilich nicht, daß der Ruf zur Bekehrung, der Ruf zur Umkehr zu Gott, für die gegenwärtige Welt keine Bedeutung hätte. Ganz im Gegenteil, es hat wohl wenige Perioden in der Geschichte des Abendlandes gegeben, in denen der Ruf nach Umkehr zu Gott mehr an der Zeit gewesen wäre, aber Umkehr zu Gott ist in unserem Zeitalter nicht an erster Stelle eine Sache der Moralität des einzelnen. Bevor es dazu kommt, ist es nötig, überhaupt wieder nach Gott zu fragen, nicht nur im Lebenskreis des Individuums, sondern auch im Leben der Gesellschaft. Solange der Gottesgedanke so wenig zu tun hat mit der Auffassung unserer alltäglichen Tätigkeiten, mit Arbeit und Erholung im institutionellen Geflecht unseres gesellschaftlichen Lebens, behält moralische Bekehrung leicht den Anschein einer unnatürlichen Last, die unserem Leben auferlegt wird und in erster Linie unserer emotionalen Selbstzufriedenheit dient, und zwar nicht selten in neurotisch gefärbten Formen. Wenn der eigentliche Sinn von Bekehrung darin besteht, ganz und vollkommen mit Gott verbunden zu sein, dann müssen die meisten von uns damit auf andere Weise beginnen, nämlich so, daß wir unser Bewußtsein verändern in bezug auf das Verhältnis unseres Alltagslebens zu Gott, um so die säkularistische Emanzipation unserer Alltagswelt von Gott zu überwinden. Dabei müssen wir uns darüber klar sein, daß solche Bekehrung nicht durch das vereinzelte Individuum erreicht werden kann, sondern eine Veränderung des gesellschaftlichen Bewußtseins und der gesellschaftlichen Kultur selber erfordert. Es wird sicherlich auch heute individuelle Situationen geben, wo Bekehrung zu Gott an erster Stelle eine Veränderung der moralischen Strategie des Lebens erfordert, aber solche Fälle sind eher Ausnahmefälle als kennzeichnend für die typische Form von Bekehrung, die unser Zeitalter erfordert. Im Normalfall geht es nicht nur um die moralische Lebensführung, sondern um die ganze Lebensauffassung, die verändert werden muß und die natürlich dann auch die moralische Lebensführung einschließt. Solche fundamentale Veränderung kann aber nur durch die Veränderung unserer Interpretation der Welt selber und des Platzes, den wir in ihr einnehmen, in der Perspektive der Souveränität Gottes und seines Reiches erreicht werden.

Die Predigt moralischer Bekehrung von der Kanzel ist heute kein sehr aussichtsreicher Weg zur Erneuerung einer lebendigen christlichen Frömmigkeit. Es ist das eine Betrachtungsweise, die in der Bußmentalität der protestantischen Tradition begründet ist und die sich durch das hartnäckige Fortleben des Schemas von Gesetz und Evangelium in protestantischen Predigten immer wieder erneuert. Wo aber getaufte Christen auf eine reumütige Betrachtung ihres Sünderseins fixiert werden, werden sie angeredet, als ob sie nicht in der Kirche säßen, sondern außerhalb. Dadurch wird wenig mehr erreicht als eine Verstärkung des Teufelskreises von vagem Schuldbewußtsein und selbstgerechtem Glauben an die eigene Rechtfertigung. Das ist die unvermeidliche Wirkung der Predigt moralischer Forderungen in vager Allgemeinheit, die nicht evident auf individuelle Lebenssituationen bezogen werden kann. Die allgemeine Erörterung ethischer Normen gehört in eine Diskussion der Grundlagen des gesellschaftlichen Lebens, deren Wurzeln aber letztlich religiös sind und die daher nicht nur in Gestalt moralischer Normen zur Sprache gebracht werden können. Der Vortrag moralischer Allgemeinheiten kann nur Resignation erzeugen, die beim Hörer durch Identifikation mit der Gestalt des Zöllners zu einem ebenso leeren und unkonkreten Rechtfertigungsglauben führen mag. Ein anderer Aspekt dieses Verfalls des Rechtfertigungsglaubens zu einem leeren Ritual ist der Umstand, daß die Predigt moralischer Bekehrung zu dem fortschreitenden Ruin der Glaubwürdigkeit der christlichen Sprache beiträgt. Am folgenden Sonntag wird man ja dieselbe Art von Predigt hören. Wenn das geschieht, wird offensichtlich, daß der Prediger nicht das Gefühl hat, daß das Wort Gottes vorigen Sonntag wirklich Bekehrung in der Gemeinde bewirkte. Dabei weiß natürlich auch die Gemeinde, daß es sich hier einfach um den Stil der Predigt handelt. Keiner erwartet, daß wirklich bedeutsame Veränderungen stattfinden.

Diese Kritik der Rolle von Schuldgefühlen und ihrer Erzeugung in der christlichen Frömmigkeit soll, wie gesagt, weder die Notwendigkeit echter Bekehrung bagatellisieren, noch wird dadurch die Lehre von der Sünde des Menschen in Frage gestellt. Christliche Theologie braucht nicht jedes schlechte Gewissen als seelische Krankheit, genauer als Selbstaggression, zu deuten, aber die Herausforderung solcher psychologischen Beschreibung läßt sich nicht umgehen, und das, was in ihr berechtigt ist, muß anerkannt werden. Wir dürfen niemals vergessen, daß getaufte Christen im Prinzip von der Macht der Sünde befreit sind, obwohl sie immer noch versucht bleiben durch die Selbstsucht, die Paulus »Fleisch« nannte. Es gibt Rückfälle in die Sünde und folglich auch individuelle Schuld. Mit ihr kann man aber nicht in vager Allgemeinheit umgehen, sondern sie bedarf konkreter Worte, die im allgemeinen wenig geeignet sind für die öffentliche Predigt. Fälle gemeinsamen Versagens der christlichen Gemeinde im Kontext ihrer Gesellschaft bedürfen allerdings der Behandlung in der Predigt, obwohl die Basis dafür auch in diesem Fall nicht primär moralisch sein sollte. Dazu ist vielmehr eine klärende Beschreibung des Ortes erforderlich, den die christliche Gemeinde in ihrer gesellschaftlichen Lebenswelt einnimmt. Ein solcher beschreibender Zugang muß auch zur Frage der Sünde im allgemeinen als eines Aspektes der menschlichen Wirklichkeit gewonnen werden. Solange die Sünde fundamental als Übertretung göttlicher Gebote verstanden wird, auch wenn man die eigentliche Wurzel solcher Übertretungen im Unglauben findet, bestätigt die theologische Lehre von der Sünde die psychologische Diagnose des Sündenbewußtseins als eines Ausdrucks von Selbstaggression. Dieser Verdacht kann nur dann überwunden werden, wenn der Begriff der Sünde als Bezeichnung einer fundamentalen Nichtidentität des Menschen aufgefaßt wird, einer Nichtidentität, die nicht eine Konsequenz der Übertretung moralischer Normen ist, sondern ursprünglicher ist als alle moralische Reflexion. In der Tat gibt es dafür einen

Anhaltspunkt in der Struktur menschlichen Verhaltens, sofern es durch die Spannung zwischen Ichbezogenheit und Selbsttranszendenz gekennzeichnet ist, eine Spannung, die die menschliche Identität des Individuums zerreißen kann. Identität ist nicht etwas, was von Anfang an gegeben ist, sondern vielmehr ein Ziel, das nur durch die Überwindung von Nichtidentität erreicht wird. Und wenn menschliche Identität eng mit dem Thema der Religion verbunden ist, dann mag es gute Gründe dafür geben, die fundamentale Nichtidentität, die die menschliche Situation kennzeichnet, Sünde zu nennen. Einer solchen Beschreibung menschlicher Sündhaftigkeit kann nicht mehr der Vorwurf gemacht werden, ein Beispiel von Selbstaggression darzustellen, weil sie mit einer Beschreibung der menschlichen Situation beginnt statt mit der Aufstellung moralischer Normen. Es ist diese menschliche Situation der Nichtidentität, die überwunden werden muß, wenn echte Selbstidentität gewonnen werden soll. In solcher Weise ist eine Antwort auf die psychologische Kritik einer christlichen Frömmigkeit durchaus möglich, aber sie ist nicht möglich auf der Basis des Gebrauchs, den die traditionelle Bußfrömmigkeit vom Schema von Gesetz und Evangelium gemacht hat. Solange wie dieses Schema in der protestantischen Frömmigkeit wirksam bleibt, sind die Chancen für Theologie und Frömmigkeit, sich gegen solche psychologische Kritik zu behaupten, prekär, und es ist nicht schwer vorauszusagen, daß aus diesem Nährboden immer wieder Fälle von neurotischer Frömmigkeit hervorgehen werden.

Je weniger der Gedanke an Gesetz und Gebot in den Menschen ein Gefühl persönlicher Schuld und Sünde hervorruft, wie es in der traditionellen Bußfrömmigkeit vorausgesetzt ist, desto weniger bewährt sich die Bußpredigt im Schema von Gesetz und Evangelium auch als Instrument der Hinwendung zum christlichen Glauben. Auch wenn die Menschen des Mangels wahrer persönlicher Identität gewahr werden, so werden sie sich dadurch nicht notwendigerweise zur christlichen Botschaft hingezogen fühlen, da ihnen heute viele andere Botschaften begegnen mit dem Versprechen, daß durch sie das Leben sinnvoll wird, und das Spektrum solcher Angebote enthält auch eine ganze Reihe anderer religiöser Wege als den des Christentums. Aber ohne den Rückgriff auf eine Strategie der Erzeugung neurotischer Schuldgefühle, Beschwörung der Schrecken des Gewissens, gibt es keinen direkten Weg mehr, der vom Gesetz zum Evangelium führt. Vielmehr muß die erhellende Kraft der christlichen Überlieferung für die Interpretation der Bestimmung des Menschen und seiner Situation in der Welt sich in der Konkurrenz mit anderen religiösen und nichtreligiösen Angeboten der Sinngebung bewähren. In dieser Situation dürfte die traditionelle Bußfrömmigkeit, trotz ihrer langen Geschichte und ihres fortdauernden Einflusses in protestantischer Theologie und Spiritualität, kaum geeignet sein, noch einmal eine der Unruhe und dem Sehnen unserer Zeit angemessene Form der Frömmigkeit hervorzubringen, die den Geist christlicher Freiheit glaubwürdig verkörpern könnte, der die Verkündigung des Evangeliums auf ihrem Wege durch die Geschichte immer wieder motiviert und begleitet hat.

Solch ein negatives Urteil bedeutet freilich nicht, daß wir uns von der evangelischen Lehre von der Rechtfertigung durch den Glauben abwenden sollten. Gegenüber der spätmittelalterlichen Bußfrömmigkeit hat diese Lehre sehr wirksam die christliche Freiheit von der Macht der Sünde und des Todes zum Ausdruck gebracht, aber auch die Unabhängigkeit von aller menschlichen Autorität, zu der der Christ durch die göttliche Verheißung ermächtigt und befähigt wird. Man muß sich jedoch klarmachen, daß die Sprache der Bußfrömmigkeit nur das zeitbedingte Kleid dieser Konzeption christlicher Freiheit war und ihre Ausstrahlung in der Folgezeit oft eingeengt hat. Dies zeigte sich besonders in dem Aktualismus, dem die lutherische Konzeption des rechtfertigenden Glaubens anheimfiel, als sie nicht mehr in Luthers Vision einer realen, »mystischen« Partizipation an Jesus Christus verwurzelt war. Vertrauen auf die verheißene Gerechtigkeit außerhalb unserer selbst in Christus *(extra nos in Christo)* setzt voraus, daß der Glaubende sich in sich selber als Sünder vorfindet.[9] In der Perspektive einer rein »forensischen« Konzeption der Rechtfertigung müssen die Glaubenden daher immer wieder in ihrer Hoffnung auf Erlösung von sich wegblicken und so fortfahren, sich selber als Sünder zu betrachten. Wegen der daraus resultierenden Spaltung zwischen der Erfahrung des Selbst in sich als sündhaft und außer sich selbst in Christus konnte der Glaubende nicht zu einem einheitlichen Konzept seiner Identität als Christ gelangen, das die Basis einer kontinuierlichen, durch Christus verwandelten Lebensgeschichte bilden könnte, die mit der Taufe beginnt. Statt solcher Kontinuität ist der Glaubende im Sinne einer rein forensischen Rechtfertigungslehre gezwungen, sich immer wieder von seiner verdorbenen und sündhaften Natur weg und der Gerechtigkeit zuzuwenden, die von der Verheißung Christi allein erlangt werden kann. Daraus erwuchsen, wie sich zeigte, spezifisch protestantische Formen von Selbstgerechtigkeit und Heuchelei. Die Voraussetzung des Rechtfertigungsglaubens, die Erfahrung der Reue über die eigene Sündhaftigkeit, mußte in zunehmendem Maße durch die Predigt des Gesetzes erst hergestellt werden. Die Konsequenz dieser ganzen Entwicklung ist, daß der zentrale Gedanke der Reformation, der Gedanke der Freiheit eines Christenmenschen durch Teilhabe an Jesus Christus, heute nur bewahrt werden kann, indem er von der Bußfrömmigkeit abgelöst wird. Nur so kann der Glaubende nach dem Verfall der Voraussetzungen der reformatorischen Lehrbildung die Gefahren der Selbstaggression vermeiden, die ihn nicht zur Ausbildung einer persönlichen Selbstidentität als Christ gelangen lassen. Wenn es einer neuen Manifestation jenes Geistes der Befreiung und der Freude der Erlösung von einer entfremdeten Lebensweise bedarf – Züge, die Nietzsche so sarkastisch in den ihm begegnenden christlichen Haltungen vermißte, – dann ist ein Bruch mit der traditionellen Bußfrömmigkeit ebenso unvermeidlich wie die Suche nach neuen Formen christlicher Frömmigkeit und Lebensführung. Ansätze dazu werden die nächsten beiden Kapitel erörtern.

Nachtrag 1986

Die vorstehenden Ausführungen entstanden 1976. Die kritische Analyse der protestantischen Bußfrömmigkeit erscheint mir auch nach zehn Jahren noch als im wesentlichen richtig. Allerdings muß heute hinzugefügt werden, daß dieser Frömmigkeitstypus einer weitgehenden Auflösung anheimgefallen ist. Nur in der Übersetzung in andere Erscheinungsformen – z. B. in Gestalt der politischen Predigt und Frömmigkeit, von der im IV. Kapitel zu reden sein wird – hat er noch eine spürbare Breitenwirkung. In der evangelikalen Bewegung, wo man am ehesten sein Weiterwirken vermuten sollte, trifft man vielfach auf den Versuch, die Enge und das Gezwungene der traditionellen Bußfrömmigkeit zu überwinden, der Freude des christlichen Osterglaubens mehr Raum zu geben. In Predigt und Leben der Kirche scheint an die Stelle der Predigt des Gesetzes weithin eine große Unsicherheit hinsichtlich aller Fragen getreten zu sein, die es mit Normen der persönlichen Lebensführung zu tun haben, – anders als bei den politischen Fragen, wo die Radikalität gesinnungsethischer Rezepte beliebt ist, denen eine Kompensationsfunktion für den Ausfall moralischer Normen im Bereich der persönlichen Lebensführung zufällt. Die Verunsicherung des moralischen Normbewußtseins dürfte, soweit der Protestantismus davon betroffen ist, zumindest teilweise eine Folge der Unglaubwürdigkeit der traditionellen Bußfrömmigkeit und ihres Moralismus sein. Bei dem Vakuum, das hier entstanden ist, wird es aber auf die Dauer nicht bleiben können, und es besteht die Gefahr, daß die zu erwartende Hinwendung zu einer neuen Moralität lediglich die Form einer Reaktion haben wird, die auf hergebrachte Muster zurückfällt. Dann aber würde man, sobald der Kreis vollendet ist, wieder vor den Problemen stehen, die den Zerfall der alten Moral verursacht haben. Aus der Ausweglosigkeit dieses Zirkels kann nur eine Neubegründung moralischer Lebensformen herausführen, nicht notwendigerweise die Entwicklung anderer Lebensformen, aber eine Neubegründung der Lebensführung. Vor allem darf die traditionelle, kurzgeschlossene Verbindung von Moralbewußtsein und Bußfrömmigkeit nicht einfach neu belebt werden, wenn nicht die mit ihr verbundenen ungelösten Probleme, die so viel zum Verfall traditioneller moralischer Einstellungen beigetragen haben, neu heraufbeschworen werden sollen. Die Kirchen können allerdings weder auf eine christliche Lebensordnung, noch auf Einrichtungen der Buße und Kirchenzucht verzichten. Der Weg zu neuen Lösungen für diese Aufgaben wird vielleicht gerade durch den Zerfall einer zum leeren Ritual gewordenen Bußfrömmigkeit gefördert.

II. Eucharistische Frömmigkeit – eine neue Erfahrung der Gemeinschaft der Christen

Kritik ist leichter als Erneuerung. In welchen neuen Formen kann sich die geistliche Freiheit der Christen darstellen, wenn sie von den Schranken der Bußfrömmigkeit befreit wird? Menschen sind geneigt, nach etwas Neuem Ausschau zu halten, aber allzu oft fehlt dem Neuen der profunde, substantielle Sinngehalt traditioneller Lebensformen. Im gehaltsvollsten Sinne neu ist daher oft die Neuentdeckung und Aneignung von etwas, was altbekannt und vertraut schien. In diesem Sinne mag die Erneuerung der Abendmahlsfrömmigkeit in den Kirchen der christlichen Ökumene das bedeutendste Ereignis in der Entwicklung christlicher Frömmigkeit unserer Zeit sein, ein Ereignis, dessen revolutionäre Tragweite sogar den Befürwortern liturgischer Erneuerung nicht immer bewußt gewesen ist.

Neue Typen der Frömmigkeit lassen sich nicht am Reißbrett entwerfen und nach Belieben hervorbringen. Aber neben einem dominanten Frömmigkeitstyp mag es im Leben der Christenheit immer auch keimhafte Entwicklungen und Potentiale für alternative Frömmigkeiten gegeben haben, die unter günstigen Bedingungen den fruchtbaren Boden für einen neuen historischen Frömmigkeitstypus bilden. Die Angemessenheit solcher Alternativen mag man abwägen im Blick auf ihre Relevanz für die Nöte eines Zeitalters, und das wird am besten durch Vergleich ihres Potentials mit den Stärken und Schwächen der schon vorhandenen Frömmigkeitsformen geschehen.

Die Stärke der pietistischen Bußfrömmigkeit bestand darin, daß sie dem Glaubenden eine unerschütterliche Basis für sein Leben in der göttlichen Verheißung in Jesus Christus erschloß. Aber der Preis, der dafür gezahlt werden mußte, war die Gefahr der Selbstaggression, und im Laufe der Zeit stellte sich dieser Preis als zu hoch heraus. Eine andere Schranke der traditionellen Bußfrömmigkeit war durch ihre individualistische Tendenz gegeben. Auf den ersten Blick mag ein solches Urteil ungerecht scheinen, da der Pietismus doch eine fast unerschöpfliche Quelle für die Bildung neuer religiöser Vereinigungen gewesen ist, nicht nur für Zusammenschlüsse der wahrhaft Frommen, sondern auch für Institutionen der Mission und Evangelisation sowie der praktischen Liebestätigkeit in Krankenpflege und anderen sozialen Aufgaben. Dennoch bleibt bestehen, daß die Frömmigkeit des Pietismus und besonders auch der Erweckung in erster Linie der Erlösung des einzelnen galt. Die Tatsache, daß damit ein kräftiges Engagement für andere – mit dem Ziel ihrer individuellen Erlösung – verbunden werden konnte, widerlegt diese Auffassung nicht, sondern bestätigt sie. Der Andere erschien dabei als ein anderes Ich, das sich ebenfalls mit der Frage nach seinem oder ihrem ewigen Heil abmüht. Vereinigungen Gleichgesinnter, denen es um die Praxis einer christlichen Lebensführung ging, verbanden sich besonders in der Frühzeit des Pietismus mit ökumenischem Geist wegen der verbreiteten Abneigung gegen theologische Spitzfindigkeiten und konfessionellen Streit. Aber eine authentische Konzeption der christlichen Kirche als einer einzigen heiligen, apostolischen und katholischen Gemeinschaft war auf dieser Basis schwer zu entwickeln; denn der Leib Christi ist mehr und etwas anderes als ein Zusammenschluß unabhängiger Individuen auf der Basis gemeinsamen Glaubens.

Es ließe sich zeigen, daß der christliche Humanismus, die andere hauptsächliche Strömung in der Spiritualität des modernen Protestantismus, unter derselben Schwierigkeit leidet. Obwohl christliche Humanisten darauf Wert legen, daß ihre christlichen Auffassungen der Bestimmung des Menschen und seiner Würde in der säkularen Öffentlichkeit akzeptabel sind, beschränken sie sich für die christliche Identität ihrer Anschauung oft auf die Versicherung ihrer eigenen subjektiven Verbundenheit mit der christlichen Überlieferung. Charakteristischerweise ist der christliche Humanismus sehr viel weniger produktiv gewesen in der Hervorbringung religiöser Gemeinschaften und Kirchen als das bei Pietismus und Erweckungsbewegung der Fall war. Soweit christliche Humanisten einer Kirche angehören, handelt es sich oft um eine vieldeutige Beziehung, weil ihre Spiritualität einen eher privaten Charakter hat.

Die Konvergenz der beiden Frömmigkeitsformen zu einem gewissen Individualismus ist bezeichnend. Sie mag heute eher als eine gemeinsame Schwäche erscheinen, aber in früherer Zeit lag gerade darin der Ausweis ihrer Modernität. Beide, Pietismus und christlicher Humanismus besetzten genau den Platz, den die moderne Gesellschaftsentwicklung der Religion noch überlassen hat, den Platz privater Überzeugungen und privaten Engagements. Das entspricht der modernen Auffassung, daß die Institutionen des öffentlichen Lebens unabhängig von religiösen Überzeugungen sind. In der Übereinstimmung mit diesem modernen Vorurteil kann man sowohl ein Element der Stärke als auch die Schwäche dieser beiden typischen Formen moderner christlicher Frömmigkeit erblicken: Das Element der Stärke besteht in der Fähigkeit zur Bejahung der modernen Auffassung von Religion und Gesellschaft und ihres Verhältnisses, das Element der Schwäche liegt in der Hinnahme der mit einer bloß subjektiven Wahrheit verbundenen Schranken für das christliche Selbstverständnis, und es entspricht der Unfähigkeit des modernen Christentums, den unvermeidlich illusorischen Charakter einer prinzipiellen Trennung zwischen Religion und politischer Ordnung zu verstehen und bloßzustellen. Das moderne Christentum hat sich nicht als fähig erwiesen, die moderne Gesellschaft so zu verwandeln, daß daraus eine neue theonome Kultur entstanden wäre. Daß die beiden einflußreichsten Formen moderner protestantischer Spiritualität nicht in der Lage waren, eine solche theonome Kultur zu schaffen, ist sowohl durch ungünstige äußere Bedingungen für eine solche Entwicklung als auch durch die inneren Schranken beider Formen protestantischer Frömmigkeit bedingt.

Die gegenwärtige Situation ist durch einen weltweiten Trend zur Neubestimmung der Beziehungen zwischen Individuum und Gesellschaft gekennzeichnet. Dieser Trend zeigt sich deutlich im Aufstieg und in der fortdauernden Anziehungskraft des Sozialismus in marxistischen und anderen Gestalten. Er zeigt sich aber auch in Jugendbewegungen westlicher Länder mit ihren Subkulturen und nicht zuletzt in theoretischen Beschreibungen der konstitutiven Bedeutung des gesellschaftlichen Kontextes für die Entwicklung individueller Identität. Gleichzeitig verlieren traditionelle gesellschaftliche Strukturen wie die Familie auf der einen Seite und die Institutionen des politischen Lebens auf der anderen Seite an Boden, was ihren Einfluß auf die Bildung individueller Identität angeht. Es gibt daher eine unbestimmte, aber tiefe Sehnsucht nach echten und ungezwungenen Formen menschlicher Gemeinschaft und gesellschaftlichen Lebens. Diese Sehnsucht führt viele dazu, sich sozialistischen Ideen, Programmen und Organisationen zuzuwenden, trotz der enttäuschenden und oft katastrophalen Ergebnisse sozialistischer Experimente, die dieses

Jahrhundert gesehen hat. Die Erfahrung zweier Generationen lehrt heute, daß der Sozialismus in seinen verschiedenen Formen immer wieder dazu tendiert, bürokratische Herrschaftsformen zu übersteigern, oft hat er auch die Entwicklung von Strukturen politischer Unterdrückung begünstigt. Dennoch sind viele Menschen nicht bereit, die Konsequenzen aus solchen Erfahrungen unseres Zeitalters zu ziehen, weil ein gefühlsmäßiges und im letzten Grunde religiöses Bedürfnis sie an die Möglichkeit einer wahrhaft menschlichen Gesellschaft zu glauben drängt, in der der einzelne sich als Glied eines erneuerten und ungezwungenen Gemeinschaftslebens erfahren kann.

Andere bevorzugen die wärmere Atmosphäre kleiner Gruppen, in denen die Lebensführung der Individuen und die dazu nötigen Mittel wirklich gemeinsam sind. Wieder andere suchen Befreiung von der Vereinsamung des einzelnen in Formen sexueller Gemeinschaft. Wenn es der tiefe Wunsch nach Gemeinschaft ist, den Menschen auf all diesen Wegen zu befriedigen suchen, so werden sie sich oft enttäuscht finden, weil sie zu viel erwarten von der Erfahrung des Lebens in einer Gruppe oder auch von einer persönlichen Verbindung, mehr als solche Erfahrungen wirklich hergeben können. Der Grund dafür ist vermutlich, daß das Bedürfnis, das viele Menschen zu befriedigen suchen durch die Erfahrung menschlicher Gemeinschaft, letzten Endes religiöser Natur ist.

Wenn das alles richtig ist, mag es nicht unmöglich sein, sich eine Form von Frömmigkeit vorzustellen, die den religiösen Bedürfnissen unseres Zeitalters entspricht. Eine Anzahl von Experimenten zur Schaffung neuer Formen eines religiös bestimmten Gemeinschaftslebens sind denn auch in der Tat bemerkenswert erfolgreich gewesen. Die meisten Beispiele aus dem protestantischen Bereich blieben jedoch mehr oder weniger der alten Linie der protestantischen Bußfrömmigkeit verbunden, so daß ihre Anziehungskraft begrenzt ist auf solche Menschen, die immer noch dafür ansprechbar sind. Außerdem stößt die Bildung kleiner Gruppen zur Verwirklichung einer religiös bestimmten Gemeinschaft auf dieselben Schranken wie andere Erfahrungen eines Gemeinschaftslebens, von dem die Individuen eine Basis für die Bestimmung ihrer persönlichen Identität erwarten. Soll der Gemeinschaftsgeist der Gruppe nicht an den individuellen Unzulänglichkeiten und Rivalitäten der Mitglieder ersticken, so muß er auf einer allgemeineren Zielsetzung beruhen, und die umfassendste Form einer solchen Zielsetzung richtet sich auf eine die gesamte Menschheit umfassende Gemeinschaft. Wahrhaft menschliche Gemeinschaft, so scheint es, muß offen sein für alles, was Menschenantlitz trägt. Das Bewußtsein davon äußert sich manchmal im Gefühl einer unmittelbaren persönlichen Verantwortung für Menschen, die irgendwo in andern Kontinenten leben, und aus solchen Gefühlen sind eine Reihe von wahrhaft bewundernswerten Aktivitäten hervorgegangen. Aber der Appell an solche Gefühle kann auch zu moralistischer Selbsttäuschung führen, als ob Menschen in gewissen Ländern dazu aufgerufen wären, für das Glück der Menschen überall in der Welt Sorge zu tragen ohne Rücksicht auf die Souveränität von deren eigenen Völkern und Staaten. Auf jeden Fall bleibt jedoch die Vorstellung einer weltweiten menschlichen Gemeinschaft ein machtvolles Symbol, und wir Christen sollten von unserer eschatologischen Hoffnung her die spirituelle Kraft, die von ihm ausgeht, mit besonderem Verständnis zu würdigen wissen. Dabei ist es gut, sich Rechenschaft zu geben von der Bedeutsamkeit, die Symbolen und symbolischer Sprache überhaupt im menschlichen Leben zukommt. Nur durch Symbole und symbolische Sprache wird die größere Gemeinschaft, zu der der einzelne gehört, in seinen Erfahrungen und Aktivitäten gegenwärtig. Die Fahne, die Nationalhymne, die Zeremonien an nationalen Feiertagen lassen bei besonderen Anlässen die Einheit einer Nation sichtbar werden. In anderer Weise besitzen die öffentlichen Ämter einer Gesellschaft eine symbolische Bedeutung, die unerläßlich ist für ihre Autorität, weil der Gehorsam, den der Amtsträger fordert und findet, ihm nur insofern gebührt als er die Einheit der Gesellschaft repräsentiert. In allen Phasen der Geschichte hat solche symbolische Repräsentation Individuen das Bewußtsein vermittelt, mit ihrem Leben einer umfassenden Gemeinschaft zu dienen, und hat sie zu einem Engagement und einer Hingabe motiviert, die mit der Zugehörigkeit zu einer engeren, aber begrenzteren Gemeinschaft gewöhnlich nicht verbunden sind.

Die christliche Kirche ist in besonderer Weise eine symbolische Gemeinschaft. Das ist nicht nur in dem Sinne zu verstehen, daß die Kirche, wie alle Gemeinschaften, dem einzelnen Gläubigen durch Symbole gegenwärtig ist, die, wie das Kreuz, allen Christen gemeinsam sind und sie miteinander verbinden, oder auch dadurch, daß die Ämter der Kirche symbolischen Charakter haben, indem die Amtsträger das gläubige Volk repräsentieren, so wie das auch für politische Ämter gilt. Im Fall der Kirche ist auch die Gemeinschaft als solche symbolisch. Die christliche Gemeinschaft steht als Symbol für eine andere Gemeinschaft, die umfassende Gemeinschaft aller Menschen in einer durch vollkommene Gerechtigkeit und unverbrüchlichen Frieden gekennzeichneten Gesellschaft, wie sie die Christen in ihrer Erwartung des Reiches Gottes erhoffen. Der Christ weiß, daß die umfassende Gemeinschaft der Menschen gegenwärtig noch nicht realisiert ist, und er weiß auch, daß sie nicht durch menschliche Herrschaft oder politische Revolutionen entstehen kann, die nur eine andere Form menschlicher Herrschaft etablieren würden, wo wiederum einige Individuen die Erfordernisse der Ordnung der Gesellschaft vertreten und durchsetzen gegenüber ihren übrigen Gliedern. Menschliche Herrschaft besteht überall darin, daß politische Macht oder zumindest ihr legitimer Gebrauch einer kleinen Zahl von Individuen vorbehalten bleiben, und darum ist politische Herrschaft überall mit dem Makel mehr oder weniger großer Ungerechtigkeit behaftet. Die Hoffnung auf eine Gesellschaft, in der wahrhafte Gerechtigkeit und darum auch dauernder Friede herrschen, hat aus diesem Grund in der biblischen Überlieferung die Gestalt der Hoffnung auf ein Reich Gottes angenommen, in welchem Gottes Herrschaft alle Formen menschlicher Herrschaft überflüssig machen wird. Weil nun diese weltweite Gemeinschaft aller Menschen eine ihr angemessene politische Gestalt weder schon gewonnen hat noch auch unter den gegenwärtigen Umständen zu gewinnen vermag, kann sie den Menschen nur in einer symbolischen Form gegenwärtig werden, und sie gewinnt eine gegenwärtige Gestalt in der symbolischen Gemeinschaft der christlichen Kirche. Sie hat auch eine Gestalt im erwählten Volk der Juden, deren Erwählung ja nach dem Zeugnis der Bibel zum Segen der ganzen Menschheit dienen sollte. In ihr hat auch die christliche Kirche ihre geschichtlichen Wurzeln. Aber während das jüdische Volk eine konkrete, besondere Nation unter den Nationen der Menschheit ist und nur sekundär auch eine symbolische Funktion für die gesamte Menschheit gewonnen hat, ist die christliche Kirche von Anfang an als symbolische Gemeinschaft begründet worden. Es gibt keinen anderen Grund für die Existenz der Kirche als die Darstellung der zukünftigen Gemeinschaft der Menschen im Reiche Gottes, das zu verkündigen Jesus gekommen ist. Von daher wird verständlich, in welchem besonderen Sinne der Gottesdienst das Zentrum des Lebens der Kirche bildet: Der Gottesdienst der christlichen Gemeinde feiert schon jetzt in symbolischer Form den Lobpreis der göttlichen Herrlichkeit, der seine Vollendung finden wird durch die eschatologische Erneuerung der ganzen

Schöpfung im neuen Jerusalem, das nichts anderes ist als ein Bild für das künftige Reich Gottes.

Als eine symbolische Gemeinschaft, in der sich die Bestimmung der Menschheit zur Gemeinschaft im Reiche Gottes schon gegenwärtig darstellen soll, ist die Kirche von der politischen Organisation des Staates verschieden. Diese Verschiedenheit bedeutet nicht, daß die Kirche nur da ist für die religiösen Bedürfnisse einzelner Personen, während der Staat für das allgemeine Wohl verantwortlich ist. Die Unterscheidung zwischen Kirche und Staat hat nichts zu tun mit einer Unterscheidung verschiedener Sachgebiete oder verschiedener Grundanliegen. Die Existenz der christlichen Kirche ist vielmehr ebenso wie der Staat auf die gesellschaftliche und politische Bestimmung der Menschen zu einem Leben in Gerechtigkeit und Frieden bezogen, aber in einer anderen Weise als der Staat, nämlich durch symbolische Darstellung dieser gemeinschaftlichen Bestimmung der Menschen. Allein schon die Existenz der Kirche bringt daher zum Ausdruck, daß der Staat die politische Bestimmung der Menschen nicht erschöpfend realisiert oder gar ihre endgültige Gestalt bildet. Die bloße Existenz der Kirche schränkt daher die Legitimität der Ansprüche jeder gegenwärtig möglichen politischen Gestalt des Staates auf das Leben seiner Glieder ein. Das erklärt, warum es immer wieder in der Geschichte zu Spannungen zwischen Kirche und Staat gekommen ist, wo die staatlichen Autoritäten nicht bereit waren, die Einschränkung ihrer Ansprüche zu akzeptieren, die mit der Existenz der christlichen Kirche verbunden ist. Die Kirche unterscheidet sich vom Staat dadurch, daß in ihr die politische Bestimmung der Menschheit in ihrer endgültigen, vollendeten Gestalt gegenwärtig ist, allerdings nur in symbolischer Form, während der Staat die politische Ordnung der Gesellschaft unmittelbar realisiert und eben darum in seiner Gestalt vorläufig bleibt. Auch die Kirche hat an solcher Vorläufigkeit Anteil, aber auf andere Weise. Im neuen Jerusalem, auf das sich die eschatologische Hoffnung der Christen wie der Juden richtet, wird es keinen Tempel und auch keine Kirche mehr geben. Die Vorläufigkeit der Kirche ist verbunden mit dem bloß symbolischen Charakter ihrer Darstellung der Bestimmung der Menschheit zur Gemeinschaft im Reiche Gottes, unbeschadet der Endgültigkeit des Zustandes, in dessen symbolischer Darstellung die Kirche ihre Existenz hat. Diese Symbolik oder Zeichenhaftigkeit durchdringt alle Institutionen und Aktivitäten der Kirche, und wo diese Symbolik, die das Wesen der Kirche selber ausmacht, nicht erkennbar ist oder in Vergessenheit gerät, da degeneriert die Kirche als Amtskirche zu einer autoritären, im Grenzfall sogar tyrannischen Form hierarchischer Herrschaft. Auch das Dogma der Kirche hat symbolische Funktion, und wenn das symbolische Wesen des Dogmas in Vergessenheit gerät, dann wird das Dogma leicht pervertiert zum Glaubenszwang. Das bischöfliche Amt der Kirche symbolisiert und repräsentiert ihre in Christus begründete universale Einheit im Leben einer Ortskirche. Wenn die symbolische Natur des kirchlichen Amtes in Vergessenheit gerät, dann entsteht die Gefahr, daß mit dem kirchlichen Amt Formen tyrannischer Amtsgewalt verbunden werden, wenn auch nur in Gestalt bürokratischer Herrschaft. Das durch und durch symbolische Wesen der gottesdienstlichen Liturgie liegt deutlicher auf der Hand, obwohl es selten im Zusammenhang mit allen Einzelheiten herausgearbeitet und ins Bewußtsein gehoben wird. Wenn jedoch die symbolische Bedeutung der Liturgie in Vergessenheit gerät, dann wird sie zu einem toten Ritual, das als eine Art Pflichtübung absolviert wird, ohne den Glanz der Osterfreude. Sogar die sozialen und karitativen Dienste der Kirchen haben eine wesentlich symbolische Funktion, so wie Jesu eigene Heilungstätigkeit und die in den Evangelien berichteten Zeichenhandlungen der Sättigung der Hungrigen. Wenn der symbolische Charakter der karitativen Tätigkeiten der Kirche nicht bedacht wird, dann wird die Kirche sicherlich immer noch weit entfernt sein davon, tonangebend für die Gestalt der Weltwirtschaft zu werden. Es ist gut, daß so etwas keine reale Möglichkeit ist. Dennoch kann der Mangel an Sensibilität für den symbolischen Charakter der karitativen Funktionen der Kirche dazu führen, daß die Kirche die biblische Wahrheit vergißt, daß Menschen nicht vom Brot allein leben. Außerdem werden Kirchen, die ihre karitative Tätigkeit nicht mehr nur als Zeichen, sondern als Ansatzpunkt einer umfassenden Bewältigung der Probleme von Armut, Hunger und Krankheit ansehen, dazu neigen, den Selbsttäuschungen eines leeren Moralismus anheim zu fallen, der die Möglichkeiten der Kirche und ihrer Glieder überschätzt und daher im Effekt nur falsche Schuldgefühle der Christen nährt.

Das Wesen der Kirche ist also durch und durch symbolisch, und nicht nur die Perversionen kirchlicher Lebensvollzüge, sondern auch der traurige Mangel an erhellender und inspirierender Kraft der Verkündigung und des gottesdienstlichen Lebens der Kirche haben es weitgehend mit einem Mangel an Sensibilität für das Symbolische ihres Wesens zu tun. Das Gefühl dafür kann aber nur durch eine Besinnung auf das spirituelle Wesen der Kirche erneuert werden. Statt des Ausdrucks »symbolisch« könnte man ebenso gut von einem sakramentalen Wesen der Kirche sprechen im Sinne eines Zeichens, und zwar eines wirksamen Zeichens.[1] Die Institutionen und Aktivitäten der Kirche werden in der ihnen spezifischen Weise nur da wirksam, wo sie in ihrer Zeichenhaftigkeit erfahren werden. Etwas »symbolisch« oder zeichenhaft zu nennen, bedeutet natürlich nicht, daß auf Wirksamkeit verzichtet wird. Es gibt allerdings ein hartnäckiges Vorurteil, für das die Wirksamkeit von Zeichen und Symbol nicht existiert. Symbole können jedoch wirksamer sein als Steine oder Schußwaffen, wirksamer auch als administrative Maßnahmen und institutionelle Veränderungen. Wenn nun ein wirksames Zeichen als Sakrament bezeichnet wird, so kann man durchaus ebenso gut von einer sakramentalen wie von einer symbolischen und zeichenhaften Natur der Kirche sprechen. In protestantischen Ohren ist allerdings die Anwendung des Ausdrucks »sakramental« auf die Kirche mit einer Reihe von negativen Assoziationen verbunden, die mit den konfessionellen Auseinandersetzungen der Vergangenheit zusammenhängen, zum Teil auch in gewissen darin verwurzelten Vorurteilen ihren Grund haben. So mag man diesen Ausdruck vermeiden, wo sein Gebrauch nicht ausführlich erläutert werden kann. Der Sache nach besteht jedoch kein Unterschied, wenn man im Sinne der augustinischen Sakramentsdefinition von der Kirche als wirksamem Zeichen der kommenden Gottesherrschaft spricht.

Die ausführliche Erörterung über die Kirche als symbolische Gemeinschaft war notwendig, um den Rahmen zu gewinnen für das Verständnis der Bedeutung der Eucharistie und des Platzes, den sie im Leben der Kirche und der Kirchen einnimmt. Die zentrale Bedeutsamkeit der Eucharistie im Leben der Kirche kann nur bezweifelt werden, wenn der symbolische Charakter der Kirche im ganzen nicht genügend berücksichtigt wird. Dann allerdings liegt eine ernsthafte Beeinträchtigung der Auffassung von der Kirche vor, und von dem Vorwurf einer gewissen Defizienz können die Ekklesiologien der Reformatoren in diesem Punkt vielleicht nicht völlig freigesprochen werden. Die Reformatoren betrachteten die Verkündigung des Evangeliums als das Zentrum des Lebens der Kirche, und zwar in einem eng mit dem dominierenden Einfluß der Bußfrömmigkeit verbundenen Sinn. Das Ergebnis war, daß dem Prediger eine für das Verständnis des Gottesdienstes und des kirchlichen Lebens im ganzen in mancher Hinsicht bedenkliche, autoritative Position zufiel. Zur Entschuldigung der Reformatoren kann freilich angeführt werden, daß die Lehre von der Kirche damals überhaupt noch weitgehend unentwickelt war. Außerdem gab es in Luthers frühen Schriften einen kurzen Augenblick, in welchem die zentrale Bedeutung des Abendmahls Christi für das Verständnis der Kirche sich geltend machte, obwohl das Abendmahl später in mancher Hinsicht der im Sinne der Bußfrömmigkeit nach dem Schema von Gesetz und Evangelium gestalteten Predigt zugeordnet wurde, indem der Empfang des Sakramentes nur noch auf die Vergewisserung der Sündenvergebung bezogen wurde.

Die Einsicht in die kirchliche Bedeutung des Abendmahls tritt in Luthers Sermon von dem hochwürdigen Sakrament des heiligen wahren Leichnams Christi und von den Bruderschaften, 1519, hervor. Hier legte Luther dar, daß die Bedeutung dieses Sakraments in der Begründung einer doppelten Gemeinschaft besteht: in erster Linie in der Gemeinschaft des Glaubenden mit Christus, und zweitens in der Gemeinschaft unter all denen, denen solche Verbundenheit mit Christus zuteil geworden ist und die daher in der Einheit des Leibes Christi untereinander verbunden sind.[2] Diese Argumentation bringt klar die kirchliche Bedeutung der Eucharistie zum Ausdruck. Luther zog dafür sogar das tiefsinnige Wort aus der Didache (9, 4) heran, wonach das Zusammenkommen der vielen Weizenkörner zur Bildung des einen Brotlaibs, der in der Feier des Sakraments gebrochen und ausgeteilt wird, ein Sinnbild dafür ist, daß die Glaubenden durch das Sakrament miteinander verbunden werden, um ein Brot, ein Kelch, ein Leib in der Gemeinschaft mit Christus zu werden.[3] Diese Worte Luthers sind Zeugnis eines sehr tiefen Verständnisses der ekklesialen Symbolik der Eucharistie. Aber schon ein Jahr später, im Sermon vom Neuen Testament 1520, entwickelte sich die Argumentation Luthers in eine andere Richtung. Eine Erwägung, die schon 1519 mitspielte, aber ein mehr untergeordnetes Moment blieb, wurde nun bestimmend: die Interpretation der Einsetzungsworte als göttliche Verheißung, die dazu gegeben wird, den Empfänger des Sakraments der zugesagten Sündenvergebung zu vergewissern.[4] Durch diese Interpretation wurden Feier und Empfang der Eucharistie einer im Sinne der Rechtfertigungslehre gedeuteten und verwandelten Bußfrömmigkeit eingeordnet. Das breitere, kirchliche Spektrum der Bedeutung des Abendmahls trat demgegenüber nun zurück.

Die besondere, ja einzigartige Bedeutung der Eucharistie im Lebe
der Kirche, wie die Geschichte des christlichen Gottesdienstes sie be
legt, gehört nun aber aufs engste mit ihrer ekklesialen Symbolik zu
sammen. In der Feier der Eucharistie wird wie in keinem andern Er
eignis des Lebens der Kirche und ihres Gottesdienstes die Begründun
ihres eigenen Daseins und Wesens kommemoriert und symbolisie
sowie auch effektiv erneuert. Wie Luther 1519 erkannte, besteht da
Wesen der Kirche in der Gemeinschaft der Glaubenden auf de
Grundlage der Gemeinschaft jedes einzelnen mit Jesus Christus. Jed
Feier der Eucharistie erneuert diese Wirklichkeit, in der das Sein de
Kirche wurzelt, und solche Erneuerung geschieht nicht nur in de
Weise der Erinnerung an das letzte Mahl Jesu, sondern in der Kraft de
eucharistischen Symbolik, in der das Wesen der Kirche als in Christu
begründeter Gemeinschaft der Glaubenden lebendig gegenwärtig un
wirksam ist. Es muß an dieser Stelle klar gesagt werden: Die Feier de
Eucharistie, nicht die Predigt steht im Zentrum des gottesdienstliche
Lebens der Kirche, so sehr auch die Predigt ein notwendiger Bestand
teil dieses Gottesdienstes ist. Die religiöse Individualität des Predi
gers, die sich auf der Kanzel zur Darstellung bringt, während sie de
Anspruch erhebt, das Wort Gottes selbst zu verkündigen, sollte nich
das Zentrum des Gottesdienstes bilden. Die Predigt muß dienen, nich
herrschen im Leben der Kirche. Sie muß der Gegenwart Christi die
nen, die in der Eucharistie gefeiert wird.

Die zentrale Bedeutung der Eucharistie im Leben und Gottesdiens
der Kirche ist verdunkelt und geschwächt worden durch ein unzurei
chendes Verständnis und eine daraus folgende unzureichende Würdi
gung der eucharistischen Symbolik. Dieser Mangel an Sensibilität fü
die eucharistische Symbolik des Gottesdienstes dürfte größtenteil
eine Folge der Vorherrschaft der Bußfrömmigkeit auch in den Einstel
lungen zur Eucharistie und in den Interpretationen des eucharisti
schen Geschehens sein. Das gilt für die Entstellung der Bedeutung de
Eucharistie in der römisch-katholischen Tradition durch ihre Umfor
mung in ein Sühnopfer, das der Priester für unsere Sünden darbringt
Auch in der Geschichte der Abendmahlsfeier im Calvinismus gibt e
eine solche Entstellung, sofern das Abendmahl gefeiert wurde als Dar
stellung der heiligen Gemeinde, zu der Sünder keinen Zugang haben
Es hat jedoch auch eine lutherische Entstellung der Bedeutung de
Eucharistie gegeben, indem das Abendmahl in erster Linie als sicht
bare und sinnlich faßbare Vergewisserung der Sündenvergebung fü

den einzelnen Gläubigen gefeiert wurde. Alle diese verschiedenen Entstellungen der symbolischen Struktur der eucharistischen Liturgie lassen sich in unterschiedlicher Weise auf den Einfluß der Bußfrömmigkeit zurückführen.

In besonderer Weise kommt der entstellende Einfluß der Bußfrömmigkeit in der herkömmlichen Auffassung der paulinischen Worte über den unwürdigen Empfang des Sakraments zum Ausdruck. Wenn Paulus vor solchem unwürdigen Empfang warnte (1.Kor. 11, 27ff.), so ging es ihm dabei nicht um die moralische Kondition der einzelnen Empfänger und daher auch nicht um die Notwendigkeit vorheriger Beichte und Absolution, sondern Paulus hatte vielmehr eine Teilnahme an der Feier des Herrenmahls ohne Beachtung ihrer Implikationen und Konsequenzen für die Gemeinschaft der Feiernden untereinander im Blick. Unwürdiger Empfang liegt daher gerade da vor, wo die kirchliche Dimension des eucharistischen Gottesdienstes unberücksichtigt bleibt und der Empfänger nur an sein eigenes Heil denkt. Es geht nicht darum, daß man sich in einem moralisch einwandfreien Zustand befinden muß, wenn man das Sakrament empfängt. Daher wird der Sinn der eucharistischen Kommunion verdunkelt, wenn ein besonderer Akt der Buße und Absolution zu einer Vorbedingung für die Teilnahme am Herrenmahl gemacht wird. Das Herrenmahl selbst schließt ja die Zusage der Sündenvergebung ein. Das hat Luther in seinen späteren Äußerungen zu diesem Thema mit Recht hervorgehoben, obwohl die Einengung des Abendmahlsempfangs auf diesen Aspekt unberechtigt ist. Solche Einengung verliert gerade den Aspekt aus dem Auge, auf den sich die paulinischen Worte über den unwürdigen Empfang beziehen. Sie haben es ja zu tun mit den sozialen Konsequenzen der Gemeinschaft mit Jesus Christus in der Gemeinschaft der an Christus Teilhabenden untereinander. Wer sich dieser Konsequenzen nicht bewußt ist und sich nicht entsprechend verhält, der »unterscheidet nicht den Leib des Herrn«, d. h. er nimmt an der Feier des Herrenmahls teil, ohne ihren Sinn und ihre Symbolik angemessen zu erfassen.

Der Mangel an Verständnis für die zentrale Bedeutung des Gemeinschaftsbezuges der eucharistischen Feier in ihrem doppelten Bezug auf die Teilhabe des Glaubenden an Jesus Christus und auf ihre Gemeinschaft untereinander, kennzeichnet die konfessionell kontroversen Typen der Eucharistielehre in den Kirchen. Das Motiv der Gemeinschaft der Glaubenden mit Christus untereinander ist aber, wie heute quer über alle Konfessionsschranken hinweg wieder erkannt wird, grundlegend für Feier und Empfang des Herrenmahls. Nur in diesem Rahmen kann als ein zweites Motiv dann auch die sakrifizielle Bedeutung der eucharistischen Feier richtig gewürdigt werden. Leider ist dieser Gesichtspunkt lange konfessionell umstritten gewesen, weil die Eucharistie auf römisch-katholischer Seite im Sinne eines Gott darzubringenden Sühnopfers gedeutet wurde. Das Opfer Christi ist aber vielmehr im Sinne seiner Hingabe für das Heil der Welt zu verstehen, die die Gemeinschaft der Glaubenden mit ihm begründet und die der Glaubende empfängt. Diese Hingabe Jesu Christi begründet wiederum die Gemeinschaft unter den Gliedern seiner Gemeinde, weil Jesus nicht nur für das private Heil dieses oder jenes einzelnen, sondern zur Rettung der Welt gesandt wurde. Von einer Teilnahme am Opfer Christi in diesem Sinne durch die Lebenshingabe der Glaubenden in Verbundenheit mit ihm und seiner Sendung konnte auch Luther sprechen. Dabei ist das sakrifizielle Motiv in Feier und Empfang des Herrenmahls eng verbunden mit einem dritten Motiv der eucharistischen Symbolik, dem eschatologischen. Jesu Sendung an die Welt stand ja im Lichte der bevorstehenden endgültigen Vollendung der Gottesherrschaft, die noch nicht eingetreten ist und auf die die Glaubenden noch warten. Dieses Ziel der Sendung Jesu darf nicht aus dem Blick geraten, wenn von seinem Opfer die Rede ist. Wenn aber der Gedanke des Opfers auf das engste mit seiner Sendung zur Rettung der Welt zu verbinden ist, dann müssen traditionelle Vorstellungen von einem Opfer, das Jesus darbrachte, um den Zorn des Vaters gegen die sündige Menschheit zu versöhnen, als irreführend erscheinen. Sie entbehren auch der Grundlage in den neutestamentlichen Schriften, in denen vielmehr der Vater selbst als Urheber der Sendung Jesu, der durch ihn gewirkten Versöhnung und so auch seines Opfers erscheint. Die Vorstellung von einem Opfer Jesu an den Vater war insofern nicht völlig falsch als Jesus in der Hingabe an seine Sendung zur Rettung der Welt in der Tat sein Leben dem Vater hingab, der ihn gesandt hatte. Aber die Beziehung des Opfers Jesu auf den Vater darf nicht losgelöst werden von seiner vom Vater selbst ausgehenden Sendung zur Versöhnung der Menschheit, sondern ist gerade im Hinblick auf den Vollzug dieser Sendung und ihrer Konsequenz im Kreuz Jesu zu verstehen. In einer geistigen Situation, die durch die metaphorische Ausdeutung jüdischer Opferterminologie beeinflußt war, wie sie im hellenistischen Judentum stattfand, ist es verständlich, daß der Tod Jesu in einer solchen Terminologie gedeutet wurde. Sie erwies sich erst an dem Punkt als irreführend, an dem der Gedanke des Opfers die Tatsache verdunkelte, daß im Neuen Testament nicht Gott, sondern die Welt Gegenstand der Versöhnung ist. Die Versöhnung der Welt, nicht die eines zornigen Gottes, war Inhalt der Sendung Jesu. Seine Hingabe an die vom Vater empfangene Sendung war daher zugleich Hingabe an die Menschen, zu deren Heil er gesandt war. In diesem Sinne läßt sich der Opfergedanke vom Herrenmahl nicht trennen, weil die Hingabe Jesu an seine Sendung angesichts seines Todes zum Ursprung der eucharistischen Gemeinschaft gehört, die er durch die Feier des Mahls begründete.

Im gegenwärtigen Zeitalter der Geschichte des Christentums ist eine neue Sensibilität für den Gemeinschaftscharakter der eucharistischen Feier des Herrenmahls entstanden. Sie kommt zum Ausdruck in der seit einigen Jahrzehnten stetig zunehmenden Teilnahme am Empfang des Herrenmahls nicht nur in den katholischen und orthodoxen Kirchen, sondern auch in protestantischen Kirchen, sogar in Deutschland. Der deutsche Protestantismus hat nämlich in dieser Entwicklung keineswegs die Rolle einer Vorhut gespielt, sondern hinkt in der Entwicklung zur Wiedergewinnung der Feier des Herrenmahls im Zentrum des regulären Sonntagsgottesdienstes bis heute eher hinter anderen Teilen des Protestantismus hinterher. Es gibt freilich immer noch psychologische Hemmungen und in einer konfessionellen Abgrenzungsmentalität begründete Ängste, die die Betonung des eucharistischen Charakters des Gottesdienstes als eine römische oder orthodox katholische Besonderheit betrachten. Es wird wohl noch einiger Zeit bedürfen und auch weiterhin des Einsatzes für die Erneuerung der ursprünglichen Bedeutung des Herrenmahls im Leben der Kirche, bevor jene Vorbehalte im Protestantismus ganz verschwinden. Auf der anderen Seite ist die neue Sensibilität für die zentrale Bedeutung der Feier des Herrenmahls im christlichen Gottesdienst eng verbunden mit der neuen Erfahrung der Gemeinschaft der Christen über alle konfessionellen Schranken hinweg. Es ist daher kein Zufall, daß diese neue Sensibilität sich besonders in einer Reihe von Dokumenten des Weltrats der Kirchen äußert, die zunehmend die grundlegende Bedeutung des eucharistischen Gottesdienstes für den Prozeß der Versöhnung und Wiedervereinigung der getrennten christlichen Kirchen betonen. Mit bemerkenswerter Entschiedenheit hat auch das Zweite Vatikanische Konzil in seiner Liturgiekonstitution den Gemeinschaftscharakter des eucharistischen Gottesdienstes betont. Die römisch-katholische Kirche hat dabei in vielen Einzelheiten, besonders auch im Hinblick auf die Stellung der Predigt im Gottesdienst, klassischen Forderungen der Reformation entsprochen, und den evangelischen Theologen muß es traurig stimmen, daß die Reformation, obwohl sie in Übereinstimmung mit ihrer biblischen Orientierung den richtigen Grundgedanken, nämlich den Gemeinschaftscharakter der Eucharistie, durchaus erkannt hatte, ihrerseits wegen der Herrschaft der Bußfrömmigkeit nicht die Kraft zur Entwicklung einer entsprechend lebendigen eucharistischen Frömmigkeit gehabt hat. So ist diese Entdeckung und Entwicklung erst in unserem Zeitalter zum Durchbruch gelangt.

Eine der verheißungsvollsten Manifestationen der neuen eucharistischen Spiritualität äußerte sich in den Tendenzen zur Interkommunion seit der Zeit des Zweiten Vatikanischen Konzils. Unglücklicherweise ist die große spirituelle Bedeutung dieser Bewegung von manchen Kirchenführern zu wenig gewürdigt worden. Sicherlich gibt es gute Gründe für einige der Einwände dagegen. Es besteht die Gefahr, daß die Notwendigkeit zur Überwindung noch bestehender Gegensätze in der Lehre mit einer Verständigung über die amtskirchliche Organisation der verschiedenen Kirchen in ihrem Verhältnis zueinander unterschätzt wird, wenn in der gemeinsamen Kommunion das Ziel des Einigungsprozesses schon vorweggenommen wird. Es gibt auch die Gefahr, daß die untrennbare Zusammengehörigkeit von gemeinsamer Feier des Herrenmahls und kirchlicher Einheit nicht wirklich bedacht wird. Obwohl eucharistische Gemeinschaft nicht nur Ausdruck einer schon vorher erreichten vollkommenen Einheit in den Fragen des Glaubens und der Kirchenverfassung ist, sondern auch Quelle der Einheit der Christen, muß die Feier des Herrenmahls doch auf jeden Fall mit dem Thema der Einheit der Kirche verbunden sein, und wenn es ernste Gründe gibt, die solche Einheit verhindern, kann die gemeinsame Feier der Eucharistie als voreilig erscheinen. Auf der anderen Seite haben die Erfahrungen eucharistischer Gemeinschaft über die konfessionellen Schranken hinweg, die die Kirchen bis heute noch trennen, bei vielen Menschen zu einer neuen, konkreten Erfahrung der Verbundenheit und Einheit der Christen geführt, die im Endergebnis einen wichtigen und vielleicht sogar notwendigen Beitrag zum Prozeß der Einigung der Kirchen bilden mag. Darüber hinaus haben solche Erfahrungen vielen Christen zum ersten Male das Erlebnis der spirituellen Dynamik vermittelt, die mit der sakramentalen Feier und der Teilnahme daran verbunden sein kann. Gerade katholische Bischöfe, die häufig sehr restriktiv auf die Verbreitung irregulärer eucharistischer Interkommunion reagierten, haben vielleicht nicht immer die geistliche Bedeutung solcher Vorgänge und Erfahrungen für die Teilnehmer, nicht zuletzt auch für die protestantischen Teilnehmer, und ihren Einfluß auf die Entwicklung einer neuen sakramentalen Frömmigkeit gewürdigt.

Jahrhundertelang spielte die Abendmahlsfrömmigkeit in den meisten protestantischen Kirchen keine oder nur eine sehr geringe Rolle. Die Bußfrömmigkeit und eine Auffassung des Gottesdienstes, besonders auch der Predigt, im Zusammenhang der Bußfrömmigkeit, überlagerte alles andere und ließ das Abendmahl im liturgischen Leben der Kirchen an den Rand treten. So konnte es dazu kommen, daß eucharistische Frömmigkeit von vielen Protestanten als eine unterscheidende Besonderheit des katholischen Christentums betrachtet wurde. Das Verständnis und die Wertschätzung des eucharistischen Gottesdienstes in der römisch-katholischen Kirche konzentrierte sich auch in der Tat auf Motive, die die Reformation verworfen hatte, besonders bei der Interpretation der Messe als eines Opfers, das der Priester Gott zur Versöhnung der Welt darbringt, wenn auch nur in sakramentaler Form, als zeichenhafte, nicht reale Wiederholung des einmaligen Opfers Christi am Kreuz. An diesem Punkt unterscheidet sich die neue eucharistische Spiritualität unserer Zeit sehr tiefgehend von der eucharistischen Frömmigkeit früherer Jahrhunderte, nicht nur in den evangelischen Kirchen, sondern gerade auch in der römisch-katholischen Kirche. Der Unterschied besteht darin, daß der Geist der neuen eucharistischen Frömmigkeit ganz auf die in Christus begründete Gemeinschaft bezogen ist. In der nachmittelalterlichen Gestalt der römisch-katholischen Eucharistiefrömmigkeit konnte der Empfang des eucharistischen Brotes durch die Gläubigen von der Meßfeier völlig getrennt werden, weil die Feier der Messe ganz und gar auf die Darbringung des Opfers konzentriert wurde, während andere Formen eucharistischer Frömmigkeit der Anbetung des in den Elementen gegenwärtigen Christus galten. Die Konzentration auf das Meßopfer in der römisch-katholischen Kirche ist als Ausdruck des Bedürfnisses der Vermittlung zwischen dem Sünder und dem zornigen Gott zu verstehen, und das Meßopfer war zwar eine zentrale Ausdrucksform dieser Mentalität, aber doch nur eine unter vielen anderen. Es handelte sich nicht um eine selbständige eucharistische Frömmigkeit. Heute hingegen besteht die Möglichkeit, daß eine eucharistische Frömmigkeit auf der Grundlage der Gemeinschaftssymbolik des Herrenmahls zum organisierenden Zentrum eines neuen Bewußtseins von Kirche, einer neuen kirchlichen Spiritualität werden kann, die die Christen einerseits, auf evangelischer Seite, aus der Vereinzelung eines bloßen Glaubensindividualismus befreit und andererseits, auf katholischer Seite, von einer Überbetonung des Kirchenrechts. Der Opfergedanke kann in dem früher angedeuteten Sinn seinen Platz in der neuen eucharistischen Auffassung des Gottesdienstes der Kirche und der Kirche selbst finden.

Dasselbe gilt für die von der zeitgenössischen Exegese neu entdeckte eschatologische Dimension in der Symbolik der Mahlfeiern Jesu. Erst diese eschatologische Dimension gibt dem Vollzug des eucharistischen Gottesdienstes und der Teilnahme am Herrenmahl die universale Perspektive, die die Gesellschaft mit ihren Problemen und die Zukunft der ganzen Menschheit umfaßt. Bisher blieb eucharistische Frömmigkeit meistens in einem engen und exklusiven Sinne kirchlich bestimmt, trotz der Tatsache, daß die eschatologische Dimension der Mahlfeier Jesu sowohl von der neueren Exegese als auch von der Theologie betont worden ist. Man darf hoffen, daß die eschatologische Perspektive ein neues Verständnis der Bedeutung der Eucharistiefeier als zeichenhafter Vorwegnahme der künftigen Gemeinschaft einer erneuerten Menschheit im Reiche Gottes begründen und so entscheidend dazu beitragen wird, eine enge Kirchlichkeit zu überwinden. Nur so kann die eucharistische Frömmigkeit unserer Zeit die geistige Kraft bewahren, die sie befähigt, einen neuen historischen Typus christlicher Frömmigkeit zu begründen. Nur eine weitgefaßte Konzeption der eucharistischen Symbolik, die in ihr einen Bezug auf die Zukunft und Vollendung der ganzen Menschheit findet, kann eine solche geistliche Kraft entfalten, weil nur der Bezug auf die ganze Menschheit das Menschsein des Individuums als Moment seiner persönlichen Identität berühren kann.

Die eschatologische Dimension der eucharistischen Symbolik stellt sich in Verbindung mit dem Opfer Jesu in der Hingabe an seine Sendung als konstitutives Prinzip der doppelten eucharistischen Gemeinschaft dar. Die göttliche Sendung, der Jesus sein Leben widmete, zielte nicht auf die Begründung einer abgesonderten religiösen Gemeinschaft, sondern auf die Welt, nämlich auf jeden einzelnen Menschen, und sie bezog sich auf die Welt in der Weise, daß Jesus das Kommen der Gottesherrschaft als endgültige Zukunft der ganzen Menschheit verkündete. Indem Jesus den Anspruch erhob, daß in seiner Verkündigung und in der Antwort des Glaubens auf sie das Reich Gottes schon gegenwärtige Wirklichkeit wird, machte er deutlich, daß er nicht nur über eine entfernte Zukunft sprach, sondern daß das Gottesreich, von dem er sprach, im Ereignis seiner Verkündigung zu gegenwärtiger Wirklichkeit kommt. Ganz entsprechend feierte Jesus die Gegenwart der kommenden Gottesherrschaft in der einfachen Form des Mahls, das er in Gemeinschaft mit seinen Jüngern einnahm, aber auch in Gemeinschaft mit Pharisäern oder mit »Zöllnern und Sündern«, für die die Symbolik des gemeinsamen Mahls bedeutete, daß sie von Jesus als Glieder und Bürger der kommenden Gottesherrschaft angenommen wurden. Wie schon in der prophetischen Tradition des Judentums die Hoffnung auf eine eschatologische Gemeinschaft der Menschen in dem unverbrüchlichen Frieden und der vollkommenen Gerechtigkeit der kommenden Königsherrschaft Gottes im Bilde des gemeinsamen Mahls ausgedrückt wurde, so hat Jesus diese eschatologische Herrlichkeit des kommenden Reiches vorweggenommen, indem er schon gegenwärtig das Mahl mit seinen Jüngern feierte und mit solchen, die durch ihre Teilnahme an der Feier des Mahles mit ihm seine Jünger wurden. Die Eucharistiefeier der Kirche ist die Fortsetzung dieser zentralen Symbolhandlung Jesu selbst, bereichert durch die Opfersymbolik, die mit der Überlieferung von dem letzten Mahl Jesu »in der Nacht, in der er verraten wurde«, verbunden war. Auch die Überlieferung von diesem letzten Mahl Jesu mit seinen Jüngern enthält eine ausdrückliche Bezugnahme auf die eschatologische Dimension der Mahlfeier in Jesu Worten, daß er von nun an nicht mehr von der Frucht des Weinstocks trinken werde (Mk. 14, 25), bevor das Reich Gottes endgültig offenbar sein wird.

Der symbolische Vollzug der eucharistischen Liturgie und Kommunion nimmt also die endgültige Vollendung der gesellschaftlichen Bestimmung der Menschen vorweg. Das ist die eschatologische Perspektive der Feier des Herrenmahls. Dadurch wird zugleich zum Ausdruck gebracht, daß die gegenwärtigen Strukturen des gesellschaftlichen und politischen Lebens die Bestimmung der Menschen zu einem Leben in Gemeinschaft nicht angemessen realisieren, eine Bestimmung, die erst dann voll verwirklicht sein wird, wenn alle menschliche Herrschaft der Herrschaft Gottes in den Herzen der Menschen weicht. So kommt in der eucharistischen Liturgie und Kommunion die Freiheit der Christen von den Ansprüchen der Gesellschaft auf das Leben ihrer Bürger zum Ausdruck zusammen mit ihrer Gemeinschaft mit dem kommenden Messias, dem König des kommenden Reiches. Freiheit von den Ansprüchen der Gesellschaft bedeutet allerdings nicht, daß der Christ sich aus seiner gesellschaftlichen Wirklichkeit in eine Art innere Emigration zurückzieht. Vielmehr ist das Bewußtsein der christlichen Freiheit vermittelt durch Teilnahme an der symbolischen Gegenwart der künftigen Vollendung menschlicher Gemeinschaft in der Feier des christlichen Gottesdienstes, eine Vollendung, die in der politischen und gesellschaftlichen Wirklichkeit Sache einer bloßen Sehnsucht bleibt, deren Erfüllung der Politiker nur als Demagoge, durch Täuschung der Menschen, für sein Handeln beanspruchen könnte. Weil die Symbolik des Herrenmahls die gesellschaftliche Bestimmung der Menschheit bestätigt und bekräftigt, wird der Christ durch den eucharistischen Gottesdienst der Kirche auch ermutigt und inspiriert dazu, politische Verantwortung für Frieden und Gerechtigkeit in der Welt zu übernehmen. Solches Engagement nimmt an der Hingabe des Opfers Jesu Christi teil, und in der Verbindung mit solchem Engagement für Frieden und Gerechtigkeit in der Welt kann die Symbolik des eucharistischen Gottesdienstes besonders tief erfahren werden. Aber im Rahmen einer eucharistischen Frömmigkeit kann das gesellschaftliche und politische Engagement niemals an die Stelle dessen treten, was der eigentliche Inhalt der eucharistischen Symbolik ist. Im Gegenteil, diese Symbolik geht bei weitem hinaus über alle mitmenschliche und gesellschaftliche Aktivität, zu der sie inspirieren mag. Wenn sie in den Dienst aktueller politischer Programme und Zielsetzungen gestellt würde, würde das die äußerste Perversion der Feier des Herrenmahls als Gottesdienst bedeuten. Menschlichkeit im gesellschaftlichen Leben kann weder durch die gegenwärtige politische Ordnung der Gesellschaft, noch durch irgendeine Veränderung dieser Ordnung realisiert werden. Aber sie wird gefeiert im Gottesdienst der Kirche, und sie ist darin gegenwärtig, wenn auch nur in der Form symbolischer Gegenwart des kommenden Gottesreiches. Das Bewußtsein, daß im Gottesdienst der Kirche gegenwärtig ist, worum es in aller politischen und gesellschaftlichen Auseinandersetzung in der Welt geht, was aber zugleich in solcher Auseinandersetzung nirgends vollkommen erreicht wird, sondern eben nur in der Feier des Gottesdienstes symbolisch gegenwärtig ist, das ist absolut entscheidend für das Verständnis der Bedeutung des eucharistischen Gottesdienstes der Kirche. Ohne diese Dimension muß der eucharistische Gottesdienst zum Formalismus eines religiösen Rituals verkommen, wenn er nicht zur frommen Selbsttäuschung einer bloß privaten Teilnahme an dem durch Jesus Christus erworbenen Heil wird.

In der eucharistischen Feier des Herrenmahls manifestiert sich das Mysterium der Kirche, die Gemeinschaft der Glaubenden, die miteinander verbunden sind durch die Gemeinschaft eines jeden mit Christus, und zugleich symbolisiert diese Gemeinschaft die eschatologische Einheit der ganzen Menschheit. Die Kraft, die von dieser Symbolik ausgehen könnte, wird allerdings heute durch die Spaltung der Christenheit erheblich beeinträchtigt, wahrscheinlich in viel höherem Maße, als die meisten Christen es sich vorstellen können. Wie kann die Welt glauben, daß die Kraft der Gegenwart Christi in der Gemeinschaft seiner Jünger die zukünftige Vollendung einer in Frieden vereinten Menschheit symbolisiert, wenn doch die Christen fortfahren, in ihren gespaltenen Kirchen einander zu verurteilen, wobei jede Kirche für sich beansprucht, die wahre Kirche zu sein? Viele Christen mögen heute denken, daß die gegenseitige Ausschließlichkeit und Intoleranz der Konfessionskirchen hinreichend überwunden ist, so daß weitere Schritte auf eine Gemeinschaft der Kirchen hin nicht mehr so dringlich sind. Solche Selbstzufriedenheit würde jedoch den fortwirkenden Einfluß des Geistes der Spaltung unterschätzen. Wenn dieser Geist der Spaltung nicht mehr wirksam wäre, dann würden die Kirchen ihre Glieder ja gegenseitig zur Teilnahme an der eucharistischen Kommunion in ihren Gottesdiensten einladen können. Die fortdauernde Spaltung der Kirchen tritt nirgends deutlicher und unerträglicher in Erscheinung als im gegenseitigen Ausschluß von der eucharistischen Gemeinschaft, die von Christus selber in der Stiftung seines Mahles begründet worden ist als Feier der Einheit untereinander, die seine Jünger in der Gemeinschaft mit ihm selber finden. Der Leib Christi ist gespalten und zerteilt worden, zumindest in seiner geschichtlichen Erscheinung. Der damit verbundene Skandal besteht nicht darin, daß es organisatorisch gesehen verschiedene Kirchen gibt. Die Einheit der Kirche beruht im Christentum immer auf der Gemeinschaft selbständiger Kirchen, die jeweils an ihrem Ort denselben Gottesdienst feiern. Der Skandal besteht darin, daß die Kirchen einander bis auf den heutigen Tag nicht gegenseitig annehmen in der Gemeinschaft der Liebe, die doch eine jede von ihnen in ihrem eucharistischen Gottesdienst feiert. Die Gegenwart Christi im Herrenmahl darf nicht mißbraucht werden als ein Mittel der Selbstbehauptung und Selbstrechtfertigung der getrennten Kirchen, jeder für sich. Wenn das Herrenmahl in einer unserer heutigen Kirchen in der gespaltenen Christenheit gefeiert wird, dann ist der Herr dabei immer auch zum Gericht über seine gespaltenen und darin ihrem Herrn untreuen Jüngern gegenwärtig.

Sogar diese dunkle Seite des eucharistischen Lebens der heutigen Kirchen bezeugt aber noch die befreiende Kraft des eucharistischen Gottesdienstes. Er befreit den einzelnen Glaubenden nicht nur von der Vereinzelung in privater Abgeschlossenheit und von über das Maß hinausgehenden Ansprüchen des Gesellschaftssystems auf sein Leben, sondern auch von dem engen Provinzialismus, der oft in einer Teilkirche herrscht. Bei der Feier des Herrenmahls handelt es sich um das Mahl, zu dem der Herr einlädt und über das keine Kirche verfügen kann. Die darin liegende Befreiung von einer eng verstandenen Kirchlichkeit ist wiederum spirituell verwurzelt in der Symbolik des sakramentalen Vollzugs der eucharistischen Feier und Kommunion, ebenso wie die Gemeinschaft der am eucharistischen Gottesdienst Teilnehmenden in erster Linie eine geistliche und symbolische Gemeinschaft ist. Je mehr solche Symbolik das Denken und Handeln der Menschen bestimmt, je mehr sie dadurch wirksam wird im menschlichen Lebensvollzug, desto mehr wird der symbolische Gehalt des eucharistischen Gottesdienstes verstanden und gewürdigt werden. Die Einstellung des einzelnen Christen im Verhältnis zu anderem, zur Gesellschaft, zur eigenen Kirche als einer Teilkirche und zu der Aufgabe der Erneuerung der Einheit aller Christen kann dadurch radikal verwandelt werden.

Zu Beginn dieser Erörterung wurde festgestellt, daß die Strukturen menschlicher Gesellschaften und der in ihnen lebendige Gemeinschaftssinn sich in hohem Maße von den Symbolen nähren, die die Realität solcher Gemeinschaft verkörpern. In besonderem Maße gilt das für die Kirche, deren Gemeinschaft als solche schon symbolischen Charakter hat und deren Daseinszweck darin besteht, Symbol für eine sie übersteigende, umfassende Gemeinschaft der Menschen zu sein. Daher kann die symbolische Gestalt der eucharistischen Gemeinschaft kein Argument sein gegen die potentielle Wirksamkeit, die vom christlichen Gottesdienst ausgeht. Im Gegenteil, die Erfahrung solcher symbolischen Gemeinschaft erzeugt in den Glaubenden einen Geist der Freiheit und der Freude. Diesen Geist sollte der eucharistische Gottesdienst der Kirche den an ihm Teilnehmenden vermitteln.

Damit dieser Geist eschatologischer Freude sich manifestieren kann, sollte das Element des Spiels, das in der symbolischen Darstellung und Handlung enthalten ist, nicht unterdrückt werden. Auch die eucharistische Liturgie enthält eine spielerische Überschwenglichkeit, die die geistliche Freiheit, die durch Christus verheißen ist, ausdrückt und ihren Funken überspringen läßt. Leider wird diese Freiheit oft verdunkelt durch die Befürworter liturgischer Erneuerung selbst, indem ihre Bemühungen leicht zu einer legalistischen, ritualistischen Befolgung liturgischer Formen führen. Gewiß ist jedes Spiel an Regeln gebunden, und so braucht auch die Disziplin liturgischen Handelns den Geist christlicher Freiheit nicht zu verleugnen. Im Gegenteil, die Beherrschung der liturgischen Form kann eine Bedingung dafür sein, daß dieser Geist sich manifestieren kann. Aber das Symbol kann nur dann als Symbol verstanden werden, wenn es nicht für die Sache selbst genommen wird. Nur wenn liturgischer Ritualismus vermieden wird, kann die Symbolik der Feier der Eucharistie jenen Geist der Freiheit nähren, der das Kennzeichen eines wahrhaft christlichen Lebens ist.

III. Christsein und Taufe

Die evangelisch-lutherische Kirche ist nicht nur Kirche des gepredigten Wortes. Sie ist auch Kirche des Sakraments. Die Sakramente, Taufe und Abendmahl, sind selber begründet im Wort, wie schon Augustin und die mittelalterliche Sakramententheologie gelehrt haben. Dabei handelt es sich jedoch um ganz spezifische Worte. Es geht hier nicht einfach um das Wort überhaupt, etwa im Sinne des Zuspruchs der Sündenvergebung. Faßt man das das Sakrament begründende Wort so auf, dann ergibt sich daraus unvermeidlich eine Vergleichgültigkeit des Sakraments. Es muß dann scheinen, als ob man die durch das Wort zugesprochene Vergebung gleichermaßen mit und ohne Sakrament haben könnte. Doch bei der Begründung der Sakramente handelt es sich jeweils um eine besondere Verheißung. Beim Abendmahl ist sie an den Genuß von Brot und Wein gebunden. Hier ist es die Verheißung der Gemeinschaft mit Jesus, einer Gemeinschaft, die uns mit Jesus über seinen und unseren Tod hinaus verbindet, enger als wir mit unserem eigenen Fleisch und Blut verbunden sind, das im Tode zerfällt. Die besondere Pointe der Abendmahlsverheißung ist es aber, daß sie die, die am Mahl teilhaben, auch untereinander verbindet in der Gemeinschaft des Leibes Christi, der Gemeinschaft der Kirche. Bei der Taufe handelt es sich ebenfalls um Gemeinschaft mit Jesus Christus, und zwar mit der leiblichen Wirklichkeit Christi; denn Paulus sagt, wir werden in den Tod Jesu hineingetauft (Röm 6, 3), also seinem sterbenden Leben verbunden, damit wir Anteil erhalten auch an seiner Auferstehung. Aber bei der Taufe geht es vor allem um die Übereignung des Täuflings an Jesus Christus (und damit auch an den Vater und an den Heiligen Geist). Die besondere Pointe der Taufe zielt dabei auf das Ganze des individuellen Lebens: Das Ende dieses Lebens im Tode wird vorweg dem Tode Christi verbunden, so daß der Getaufte nun seinen eigenen Tod, die Frucht der Sünde, schon hinter sich hat und damit auch die Sünde selbst schon hinter sich hat (Röm 7, 4 f.). Darum lebt der Getaufte schon jetzt in der Freiheit des Geistes ohne Gesetz ein neues Leben.

Beim Abendmahl ist es in den letzten Jahrzehnten zu einer erstaunlichen Wiederbelebung in der evangelischen Frömmigkeit und im gottesdienstlichen Leben der evangelischen Kirchen gekommen. In der Aufklärungszeit war das Abendmahl zu einem selten gefeierten Anhang an den Predigtgottesdienst herabgesunken, während die Augsburger Konfession sich noch gerühmt hatte, daß die evangelischen Gemeinden die Messe »mit größerer Andacht und Ernst« feiern, als das in der Papstkirche geschieht (Confessio Augustana 24). Freilich geht es der Confessio Augustana zufolge bei der Kommunion vor allem darum, »die erschrockenen Gewissen damit zu trösten« (ebd.), während der junge Luther in seinen Sermonen von 1519, besonders im Sermon vom heiligen Leichnam Christi und den Bruderschaften, noch die Gemeinschaft der Christen in Christus als den eigentlichen Sinn des Mahles hervorgehoben hatte. Es ist wohl eine Folge davon gewesen, daß sich die Auseinandersetzungen der Reformationszeit so sehr auf das Bußsakrament konzentriert haben, daß Luthers spätere Äußerungen über die Frucht der Kommunion auch dieses Sakrament ganz auf Zuspruch und Vergewisserung der Sündenvergebung bezogen haben. Die Erneuerung der Abendmahlsfrömmigkeit in den evangelischen Kirchen unserer Zeit hat dagegen gerade mit der Wiederentdeckung des Gemeinschaftscharakters des Mahles viel zu tun. In der Feier des Abendmahles wird zeichenhaft sichtbar, was Kirche heißt, nämlich Gemeinschaft der Glaubenden in Christus, verbunden durch die gemeinsame Teilhabe an dem einen Herrn. Das ist nicht nur in den evangelischen Kirchen, sondern quer über alle Konfessionsgrenzen hinweg in der gegenwärtigen Christenheit neu entdeckt worden. Man wird darin wohl die bedeutendste und am tiefsten gehende Bewegung in der christlichen Frömmigkeit unserer Zeit erblicken dürfen.

Eine vergleichbare Erneuerung der Tauffrömmigkeit hat in unseren Kirchen bisher nicht stattgefunden. Die Taufe führt in der evangelischen Frömmigkeit nach wie vor ein Schattendasein. Das steht ganz im Gegensatz zu der großen Wertschätzung der Taufe bei Martin Luther, und ihr Verlust in den lutherischen Kirchen hat weitreichende negative Konsequenzen für die evangelische Frömmigkeit gehabt, Konsequenzen, deren Bedeutung bis heute unterschätzt wird.

Für Luther war die Taufe nicht nur ein Ritus am Anfang des Christenlebens oder gar die höhere Weihe für eine Familienfeier. Ihre Bedeutung sah er auch nicht nur in der Aufnahme des Täuflings in die Kirche. Das Entscheidende an der Taufe lag für ihn darin, daß sie sich auf *das ganze Leben* des Christen bezieht: »Sakramental wirst du nur einmal getauft, aber im Glauben muß die Taufe immer wieder vollzogen werden, immer wieder gilt es zu sterben und zu einem neuen Leben aufzustehen.«[1] Im Kleinen Katechismus sagt Luther von der Taufe, sie bedeute, »daß der alte Adam in uns durch tägliche Reu und Buße soll ersäuft werden und sterben mit allen Sünden und bösen Lüsten, und wiederum täglich herauskommen und auferstehen ein neuer Mensch, der in Gerechtigkeit und Reinigkeit vor Gott ewiglich lebet«. Damit wird nicht etwa der Taufritus zu einem bloßen Symbol der immer wieder neu zu vollziehenden Buße erklärt. Eher verhält es sich umgekehrt: Die Buße ist die lebenslange Aneignung der Taufe. Die Buße ist nämlich ursprünglich mit der Taufe verbunden. So bekennt das nicaenokonstantinopolitanische Symbol »eine einige Taufe zur Vergebung der Sünden«, und damit ist gemeint, daß das Leben der Sünde mit der Taufe ein für allemal abgetan ist. Von dieser Einmaligkeit des Taufgeschehens als Begründung des neuen Lebens in uns geht auch Luther aus. Er verbindet damit aber die Erfahrung der Kirche seit dem 3. Jahrhundert von der Notwendigkeit erneuter Buße auch nach der Taufe. So betont er die Notwendigkeit immer neuer Aneignung dessen, was ein für allemal in unserer Taufe von Gott her an uns geschehen ist. Dementsprechend heißt es im Großen Katechismus, die »Kraft und das Werk der Taufe« sei »nichts anders denn die Tötung des alten Adams, darnach die Auferstehung des neuen Menschen, welche beide unser Leben lang in uns gehen sollen, also daß ein christlich Leben nichts anders ist denn eine tägliche Taufe, einmal angefangen und immer darin gegangen...« (Bekenntnisschriften der Ev.-Luth. Kirche 704). »Darumb soll ein iglicher die Taufe halten als sein täglich Kleid, darin er immerdar gehen soll« (707). So ist die Buße nichts anderes als Wirkung der Taufe: »Darumb wenn du in der Buße lebst, so gehest du in der Taufe, welch solchs neues Leben nicht allein deutet, sondern auch wirkt, anhebt und treibt; denn darin wird geben Gnade, Geist und Kraft, den alten Menschen zu unterdrücken, daß der neue erfürkomme und stark werde. Darumb bleibt die Taufe immerdar stehen, und obgleich jemand davon fället und sündigt, haben wir doch immer ein Zugang dazu, daß man den alten Menschen wieder unter sich werfe...« (706).

Die Taufe »bleibt ... immerdar stehen«: Die Taufe begründet also die Kontinuität des christlichen Lebens, der christlichen Existenz. Wenn der Glaubende nach Luther *extra se* (außerhalb seiner selbst) lebt, indem er durch den Glauben bei Christus ist, auf den er sich verläßt, so bedeutet das doch nicht, daß der Glaubende kein eigenes persönliches Leben hätte. Vielmehr konkretisiert sich sein Leben *extra se in Christo* für ihn individuell in seiner Taufe. Durch die Taufe gewinnt die Neubegründung des eigenen, persönlichen Lebens von Christus her für den Glaubenden Gestalt. Darum soll man sich in der Anfechtung auf die empfangene Taufe berufen und sagen: »Ich bin dennoch getauft« (699f.). Auch Luther hatte schon mit Hyperprotestanten zu tun, die, wie er sagt, die Taufe verachten, weil sie meinen, der Glaube mache allein selig. Er bezeichnet sie als »Blindenleiter«, die »nicht sehen, daß der Glaube etwas haben muß, das er glaube, das ist, daran er sich halte und darauf stehe und fuße« (696).

Paul Althaus hat mit Recht gesagt, die Tauflehre Luthers sei »seine Rechtfertigungslehre in konkreter Gestalt« *(Die Theologie Martin Luthers,* 1962, 305). Diese konkrete Gestalt der Rechtfertigungslehre ist in der Kirche Luthers heute kaum mehr als ein toter Buchstabe, wenn man überhaupt noch etwas von ihr weiß. Darum ist auch der Rechtfertigungsglaube zu einer abstrakten Formel verkommen.

Im normalen evangelischen Gemeindegottesdienst spielt die Taufe kaum eine Rolle. Diese Feststellung bezieht sich nicht in erster Linie darauf, daß nur ausnahmsweise Taufen im Gemeindegottesdienst vorgenommen werden, sondern vor allem darauf, daß die Bedeutung der Taufe für das Christenleben, wie Luther sie gelehrt hat, in der Predigt selten oder nie vorkommt und auch in der Liturgie nicht den ihr zukommenden Platz hat. Der gegebene Ort dafür in der Liturgie wäre besonders der Eingang des Gottesdienstes mit Sündenbekenntnis und Gnadenzuspruch. Denn die Buße soll nach Luther ja immer Erinnerung an das einmal in der Taufe an uns Geschehene sein. Aber in der Agende I der Vereinigten Ev.-Luth. Kirche findet sich davon so gut wie keine Spur. Es heißt ganz am Schluß des Gnadenzuspruchs »wer da glaubet und getauft wird, der wird selig werden«. Daß dadurch das Sündenbekenntnis zur Erinnerung an die Taufe würde, das wird wohl niemand behaupten können. Gleich zu Beginn, wo es heißt: »Da wir hier versammelt sind ... so lasset uns gedenken unserer Unwürdigkeit und vor Gott bekennen, daß wir gesündigt haben«: Da müßte die Taufe erwähnt werden. Es könnte etwa heißen: »so lasset uns gedenken unserer Taufe, durch die wir von Sünde und Tod gerettet und der Gemeinschaft des neuen Lebens Christi teilhaftig geworden sind. Aber wir sind rückfällig geworden und haben gesündigt mit Gedanken, Worten und Werken. Darum lasset uns aufs neue Zuflucht nehmen zu der Gnade, die wir in unserer Taufe empfangen haben«. So oder ähnlich sollte die Einleitung zu Sündenbekenntnis und Gnadenzuspruch lauten, damit nicht der sonst unvermeidliche Eindruck entsteht, daß die Gottesdienstbesucher noch ganz außerhalb der christlichen Gemeinde und der Gemeinschaft mit Gott stehen. Es ist etwas anderes, ob der am Gottesdienst Teilnehmende einfach als Sünder angeredet wird oder als getaufter Christ, der trotz seiner Taufe noch im Kampf des Geistes gegen das Fleisch steht und dabei immer wieder von den Schatten der Sünde und des Todes eingeholt wird, die durch die Taufe für ihn eigentlich überwunden sind. Als getaufter Christ sollte er die Macht von Sünde und Tod über sein Leben hinter sich gelassen haben. Tatsächlich aber werden wir immer wieder rückfällig und bedürfen der Erinnerung daran, daß wir in unserer Taufe von Gott ein für allemal der Macht der Sünde und des Todes entrissen worden sind. Die Funktion solcher Ermahnung haben auch schon die Ausführungen des Apostels im 6. Kapitel des Römerbriefs.

Christliche Buße sollte immer die Form der Erinnerung an die Taufe haben. Andernfalls verliert nämlich das neue Leben des Christen, jedenfalls in der reformatorischen Auffassung davon, seine Kontinuität. Dieses neue Leben wird ja in der Sicht der Reformation nicht als eine qualitative Veränderung in der Seele des Einzelnen durch die Gnade aufgefaßt, sondern als ein neues Leben, das uns durch das Urteil Gottes zugeeignet ist und immer wieder im Glauben ergriffen werden muß. Die Definitivität und Dauerhaftigkeit dieses neuen Lebens treten darum gerade für die reformatorische Auffassung nur im Sakrament der Taufe in Erscheinung. Unterbleibt nun das tägliche Taufgedächtnis, dann muß sich der evangelische Christ so fühlen, als ob er immer noch unter der Herrschaft der Sünde stünde. Zwar wird ihm immer aufs neue, jeden Sonntag, die Vergebung zugesprochen, aber das bleibt ohne Verbindung mit seiner Taufe ein momentanes, punktuelles Ereignis, und am folgenden Sonntag wird der Gottesdienstbesucher wieder als Sünder angesprochen, als ob er nie die Gnade Gottes für sein ganzes Leben definitiv empfangen hätte und jedenfalls nicht so, daß sie für sein Leben dauerhaft wirksam geworden wäre. Es ist deshalb nicht verwunderlich, daß in der Geschichte der evangelischen Frömmigkeit schon im 17. Jahrhundert die Bekehrung als die eigentlich maßgebende lebensgeschichtliche Wende aufgefaßt worden ist, nicht mehr die Taufe. Mit der Betonung der Bekehrung aber geriet die zentrale reformatorische Aussage, daß unser Heil und neues Leben außer uns in Christus begründet und nur durch den Glauben uns gegenwärtig sind, aus dem Blick. Wo umgekehrt der pietistische Gedanke der Bekehrung nicht wirksam wurde, da mußte das Lebensgefühl des Christen mehr durch das Sündersein als durch Gottes Gnade und Vergebung bestimmt sein. Der Gnadenzuspruch selber muß dem nachdenklichen Christen, wenn er in keinem Zusammenhang mit der Erinnerung an die Taufe mehr steht, als etwas Unwirksames erscheinen, was jeden Sonntag wieder erneuert werden muß, aber nichts daran ändert, daß der Mensch ein Sünder bleibt.

Nun hat Luther ja gelehrt, daß auch der getaufte Christ in seinem empirischen Dasein, für sich selbst betrachtet, tatsächlich Sünder bleibt. Nur wird seine Sünde ihm nicht angerechnet wegen seiner Verbundenheit mit Christus. *Peccator in re, iustus in spe* (der Sache nach Sünder, der Hoffnung nach gerecht): hier besteht eine Differenz zur römisch-katholischen Auffassung von der Wirkung der Taufe, wenn es sich auch bei richtigem Verständnis der Sache nur um eine terminologische Differenz handelt. Auch die römisch-katholische Kirche gibt nämlich zu, daß auch im getauften Christen noch Konkupiszenz vorhanden ist, aber sie bestreitet, daß solche Konkupiszenz noch Sünde im eigentlichen Sinne sei. Die Sünde gilt als durch die Taufe real getilgt. Die lutherische Reformation hingegen beurteilte die im Getauften weiter vorhandene Konkupiszenz im Sinne augustinischen Sprachgebrauchs als Sünde im strengen Sinne des Wortes. Um so wichtiger muß es dann für die lutherische Sicht sein, daß die Taufe dennoch eine prinzipielle und beständige Neubegründung der menschlichen Existenz bewirkt, freilich nicht eine Neubegründung *in nobis* (in uns), sondern *extra nos* (außerhalb unser selbst) *in Christo*. Diese Neubegründung unserer Existenz in Christus wird an unserer Taufe als *dauerhafte Realität* unseres neuen Seins konkret. Wird das nicht mehr zum Ausdruck gebracht, dann bekommt die römisch-katholische Kritik an der reformatorischen Lehre von der Wirkung der Taufe recht. Sie behauptet, nach lutherischer Auffassung *ändere sich gar nichts* prinzipiell im Menschen durch die Taufe, da doch ihre Wirkung nur darin bestehe, daß die Sünde nicht mehr zugerechnet wird. Dieser Kritik läßt sich nur dann begegnen, wenn wir mit Luther unsere persönliche Taufe als die konkrete und dauerhafte Gestalt des neuen Lebens für jeden einzelnen Christen verstehen. Dieses neue Leben ist zwar *extra nos,* aber bildet doch eine definitive Wende, eine bleibende, neue Identität des Christen, die sein ganzes Leben begleitet.

Der Verlust der Tauflehre Luthers im Bewußtsein der evangelischen Kirche hat dazu geführt, daß die römisch-katholische Kritik als faktisch berechtigt erscheinen muß. Am Sündersein des Menschen scheint sich tatsächlich für den evangelischen Christen nichts zu ändern. Hinzu kommt nun aber noch etwas anderes. Im evangelischen Gottesdienst ist die Privatbeichte durch die öffentliche Beichte mit gemeinsamem Vergebungszuspruch abgelöst worden. Dabei werden sowohl das Sündenbekenntnis als auch die Gnadenverheißung, der Vergebungszuspruch leicht zu Leerformeln: Man bekennt nicht mehr konkrete Sünden und Verschuldungen, sondern ein allgemeines Sündersein, und ebenso allgemein wird dann auch der Zuspruch der Vergebung. Wäre die Beichtfeier deutlich auf die Taufe des Einzelnen bezogen, so wäre wenigstens an dieser Stelle ein konkreter Lebensbezug der öffentlichen Beichte und Absolution gegeben. Inhalt der gottesdienstlichen Beichte und Absolution könnten dann die Erinnerung und Begnadigung sein. Abgelöst vom Taufgedächtnis aber wird die öffentliche Beichtfeier nur allzu leicht zur Einübung einer falschen Demut, eines vagen Schuldbewußtseins ohne Eingeständnis konkreten Verschuldens. Konkretes Versagen einzugestehen fällt dem evangelischen Christen mindestens ebenso schwer wie anderen Menschen, obwohl er daran gewöhnt ist, sich ganz allgemein als Sünder zu bekennen. Vielleicht wird die Neigung zur Selbstgerechtigkeit in konkreten Fällen, wo es auf die Einsicht in konkrete Schuld ankäme, sogar noch verstärkt dadurch, daß man meint, mit dem Bekenntnis der Sündhaftigkeit im allgemeinen bereits alles Erforderliche getan zu haben im Hinblick auf die Anerkennung des eigenen Versagens. Außerdem aber hat die Einübung in die Haltung eines allgemeinen, unbestimmten Sündenbewußtseins im Protestantismus noch ein anderes Motiv: Es gilt als Bedingung für die Erlangung der Gnade Gottes, daß man sich als Sünder bekennt. Damit erfüllt die Einübung in ein allgemeines Sündenbewußtsein in der protestantischen Frömmigkeit weithin die Funktion, die von der Reformation unter dem Namen der Werkgerechtigkeit an der mittelalterlich-katholischen Frömmigkeit kritisiert worden war. Wir Protestanten brauchen allerdings keine guten Werke mehr zu tun, um die Seligkeit zu erlangen. Wir brauchen uns nur als Sünder zu identifizieren. Wir müssen darauf achten, daß wir beim Hören des Gleichnisses vom Zöllner und vom Pharisäer auf der richtigen Seite sind, indem wir uns mit dem Zöllner identifizieren. Wir meinen, daß wir dann auch zu denen gehören, denen der Gnadenzuspruch Gottes gilt. Aber das ist schlimmer als Werkgerechtigkeit. Es ist eine Perversion des reformatorischen Rechtfertigungsglaubens und darüber hinaus eine neurotische Form der Frömmigkeit.

Kritiker des Christentums, wie Friedrich Nietzsche und in weitgehender Übereinstimmung mit ihm auch Sigmund Freud haben dem Christentum beziehungsweise der Religion überhaupt den Vorwurf gemacht, daß es Schuldgefühle kultiviere und darum neurotisch sei.

In seiner *Genealogie der Moral* (1887) hat Nietzsche das Gewissen als Erkrankung der Tiernatur des Menschen beschrieben. Sie sei der Preis des gesellschaftlichen Friedens gewesen: Alle aggressiven Triebe, die sonst nach außen wirkten, wurden durch das Gewissen nun nach innen, gegen den Menschen selbst gewendet, und die Religion, besonders aber das Christentum, habe diese Selbstaggression des Schuldbewußtseins sanktioniert und übersteigert. Der christliche Gott sei Ausdruck des bisherigen »Maximums an Schuldbewußtsein« (II, 20).

Mit der Kritik an den destruktiven Wirkungen des übersteigerten Schuldbewußtseins hängt Nietzsches Atheismus auf das engste zusammen. Es handelt sich dabei um einen postulierten Atheismus um der Freiheit des Menschen willen. Bei Freud zeigt sich ein ähnlicher Sachverhalt, wie B. Lauret (*Moralkritik und Atheismus bei Nietzsche und Freud,* 1978) gezeigt hat. Nach Freud ist die Religion aus den Schuldgefühlen infolge der (wirklichen oder in der Phantasie begangenen) Ermordung des Urvaters entstanden. Daher hat er denn auch die Religion als Neurose beurteilt und dürfte dabei von Nietzsche beeinflußt worden sein.

Die christlichen Kirchen haben bis heute die Moralkritik Nietzsches und den Vorwurf neurotischer Folgen der Kultivierung von Schuldgefühlen nicht ernsthaft verarbeitet. Sie müssen sich aber in ihrem eigenen Interesse diesen Vorwürfen stellen und selbstkritisch den darin enthaltenen Wahrheitskern anerkennen. Natürlich ist der christliche Gott nicht, wie Nietzsche meinte, Exponent eines übersteigerten Schuldbewußtseins, um dadurch auf Kosten des Menschen seine Macht zu erhöhen. Aber es konnte Nietzsche so erscheinen von seiner pietistischen Kindheit und Jugend her. Seine Moralkritik und sein Atheismus erwuchsen aus seiner Auseinandersetzung mit einem durch die Erweckungsfrömmigkeit geprägten Christentum. Seine Kritik wurde ermöglicht durch Fehlentwicklungen in der christlichen Frömmigkeit, insbesondere im Protestantismus. Dabei spielt das Zurück-

treten der Taufe in der christlichen Frömmigkeit eine besondere Ro
le, weil ja die Taufe bedeutet, daß die Macht der Sünde und das auf si
bezogene allgemeine Schuldbewußtsein für den Christen überwunde
ist. Ich möchte nicht behaupten, daß die übersteigerte Kultivierun
des Schuldbewußtseins nur mit dem Zurücktreten der Taufe in de
protestantischen Frömmigkeit zusammenhängt. Die Wurzeln diese
Entwicklung liegen schon in der gesteigerten Betonung von Beicht
und Buße im Mittelalter. Aber im Bereich des Protestantismus ist de
Funktionsverlust der Taufe für die Frömmigkeit doch der vielleich
wichtigste Faktor der Fehlentwicklung, die die Kritik Nietzsches her
ausforderte.

Wenn in der christlichen Frömmigkeit das Schuldbewußtsein einse
tig kultiviert wird, und zwar nicht im Hinblick auf konkretes Verschul
den, sondern als allgemeines und unbestimmtes Gefühl der Sündhaf
tigkeit, weil das Bekenntnis, Sünder zu sein, als Bedingung der Erlan
gung des Heils betrachtet wird, dann gerät die Freude des neuen Le
bens leicht in den Hintergrund, die doch das christliche Leben kenn
zeichnen sollte. Wo die Taufe den ihr zukommenden Platz im christli
chen Bewußtsein hat, da liegt der Ton der christlichen Frömmigke
auf dieser Freude des neuen Lebens in Christus. Denn Sünde und To
liegen durch die Taufe im Prinzip hinter uns. Wenn auch die Schatte
von Sünde und Tod unser irdisches Leben noch begleiten, und obwol
dieses Leben nach Paulus noch durch den Kampf des Geistes gege
das Fleisch bestimmt ist, so kann dennoch der Christ in dem Bewußt
sein leben, daß die Mächte von Sünde und Tod nicht nur objektiv, i
Blick auf die ganze Menschheit, durch den Tod Christi gebrochen sin
sondern auch für das persönliche Leben des Christen durch seine Tau
fe. Weil die Taufe unseren Tod schon vorweggenommen und in de
Tod Christi versenkt hat, darum ist nun Platz im Leben des Christe
für die Osterfreude.

Bemerkenswert ist übrigens, daß die Sünde bei Paulus in so enger
Zusammenhang mit dem Tode behandelt wird. Auch die Universalitä
der Sünde wird im Römerbrief (5, 12) aus der universalen Verbreitun
des Todes erschlossen. Dadurch ist bei Paulus der moralistische To
vermieden, der sich sonst so leicht mit dem Thema der Sünde und de
Sündenbekenntnisses verbindet. Nur durch den Tod des Mensche
kommt die Macht der Sünde an ihr Ende. Harmlosere Operatione
führen nicht zum Erfolg. Aber für den Christen ist der Tod überwun

den und darum auch die Sünde durch die Hoffnung auf das neue Leben der Auferstehung Christi.

Dafür, daß die Taufe die Freude des neuen Lebens in uns neu begründet, ist ihre Einmaligkeit entscheidend. Sie ist im Leben des einzelnen Menschen ebenso einmalig und definitiv wie das Heilsgeschehen von Kreuz und Auferstehung Christi zur definitiven Wende für die ganze Menschheitsgeschichte wird. Die Taufe nimmt das ganze Leben des Menschen vorweg, indem sie unseren Tod mit dem Tod Christi verbindet. Darum wird nun unser ganzes Leben, wie Luther immer wieder betont hat, zum Nachvollzug des in der Taufe schon an uns Geschehenen. Hier hat auch die Buße, die tägliche Buße, ihren Ort im Leben des Christen, aber so, daß sie aus der Gewißheit von der Wirklichkeit des neuen Lebens kommt, das uns definitiv zugeeignet ist. An dieser Stelle, im Hinblick auf das Leben des Getauften als Nachvollzug seiner Taufe, ist auch der Ort für den engen Zusammenhang von Glaube und Taufe. Die Taufe bedarf der ständigen Erinnerung, des ständigen Nachvollzuges im Leben der Christen. Darum bedarf sie immer aufs neue der Aneignung im Glauben.

Das Verhältnis von Taufe und Glaube ist bis auf den heutigen Tag eines der großen Probleme der Tauftheologie im evangelischen Christentum. Schon Luther mußte sich auseinandersetzen mit der Forderung, daß der Glaube der Taufe vorangehen müsse, einer Forderung, die dann später immer wieder von den Kritikern der Kindertaufe, in unserem Jahrhundert mit besonderem Nachdruck von Karl Barth, erhoben worden ist. Luther hat diese Forderung zurückgewiesen und den Glauben eher als *Wirkung,* denn als *Bedingung* der Taufe betrachtet. Aber daß Taufe und Glaube zusammengehören, hat er nicht bestritten. Dieser Zusammenhang ist auch in der ökumenischen Konvergenzerklärung von Lima 1982 mit Recht betont worden: alle Kirchen bekennen die Zusammengehörigkeit von Glaube und Taufe, wenn sie auch bei der Erwachsenentaufe in anderer Weise als bei der Kindertaufe realisiert wird, bei der dieser Zusammenhang mit zeitlicher Verzögerung hergestellt wird. Recht verstanden ist dies jedoch keine Besonderheit nur der Kindertaufe. In jedem Christenleben bedarf die Taufe der immer neuen Aneignung durch den Glauben.

Daraus erwächst eine Aufgabe für die Predigt, aber auch für die liturgische Gestaltung des Gottesdienstes. Wo sollte denn die für das Leben des Christen notwendige Erinnerung an die Taufe stattfinden, wenn das nicht immer wieder in der Predigt geschieht? Und wie sollte den Gliedern der Gemeinde ein Bewußtsein dafür erschlossen werden, daß Buße und Taufe zusammengehören, wenn es nicht bei jeder Feier von Beichte, Buße und Sündenvergebung ausgesprochen wird? Das ist auch einer der Gründe dafür, weshalb Taufen im Gottesdienst der Gemeinde vorgenommen werden sollten. Sie bieten eine Gelegenheit, allen Gliedern der Gemeinde die Bedeutung der eigenen Taufe vor Augen zu führen. Außerdem zeigt sich darin, daß man als Christ nicht für sich allein getauft ist, sondern daß die Taufe uns zu Gliedern der Gemeinschaft der Kirche macht. Sie wird ja an jedem einzelnen Christen durch ein Handeln der Kirche vollzogen, und so wird auch das individuelle Christenleben durch die Taufe auf die Gemeinde hingeordnet.

Von dem Evangelium der Auferweckung des Gekreuzigten zu einem neuen Leben, vom gemeinsamen Gotteslob der Gemeinde und von der eucharistischen Mahlgemeinschaft aus werden die Wirkungen der Taufe im Leben des Christen immer wieder erneuert, bis er am Ende seines Lebens, mit dem Tode, der in der Taufe schon vorweggenommen wurde, endgültig eingeht in die ewige Freude des neuen Lebens.

IV. Heiligung und politische Ethik

Noch vor wenigen Jahrzehnten dominierte in den christlichen Kirchen die Auffassung, daß Religion und Politik getrennt bleiben sollten, insbesondere die Religion sich nicht in politische Händel einmischen sollte. Diese traditionelle Einstellung ist jedoch durch die »politische Theologie« wirksam angegriffen und tiefgreifend verändert worden. Es ist gezeigt worden, daß die Trennung von Religion und Politik eine Selbsttäuschung enthält, die daraus resultiert, daß das nur mit sich selber beschäftigte religiöse Bewußtsein die unvermeidlichen politischen Implikationen jeder im Kontext gesellschaftlichen Lebens bezogenen Position außer acht läßt. Keine gewichtige Gruppierung im gesellschaftlichen Leben kann es vermeiden, in politischen Kontroversen Partei zu ergreifen. Die Weigerung, das zu tun, enthält ebenfalls immer schon eine Parteinahme, weil sie zur Stabilisierung bestehender Herrschaftsverhältnisse beiträgt. Diesen unvermeidlichen Sachverhalt aufgedeckt und eingeschärft zu haben, macht die bleibende Bedeutung der in den sechziger Jahren sogenannten »politischen Theologie« aus, die besonders mit dem Namen von Johann Baptist Metz verbunden ist. Solche Bewußtmachung schließt aber noch nicht notwendigerweise bestimmte Formen politischer Parteinahme ein. Insbesondere ist damit noch nicht gesagt, daß christliche Theologie immer auf der Seite derer stehen müßte, die das jeweils bestehende Gesellschaftssystem ablehnen. In der Geschichte der christlichen Theologie sind sehr verschiedene Formen politischen Engagements als Bestandteil des christlichen Glaubens verstanden worden. Dazu gehört die in der calvinistischen Tradition und besonders in Amerika einflußreich gewordene Verbindung des Gedankens bürgerlicher Freiheiten und republikanischer Institutionen mit der christlichen Freiheitsidee. Diese Strömung konnte in Verbindung oder in Entgegensetzung zu der anderen auftreten, daß in vielen Ländern der Nationalismus als ein Element natürlicher Loyalität des christlichen Bürgers verstanden wurde und wird. Die letztere Form eines politischen Engagements ist auch in überwiegend lutherischen Territorien verbreitet und ging dort eine spezifische Verbindung mit der lutherischen Obrigkeitsethik ein.

Diese wenigen Andeutungen mögen genügen, um uns in Erinnerung zu rufen, daß politisches Engagement in der einen oder anderen Form häufig mit dem christlichen Glauben verbunden wurde. Insofern bringt die moderne politische Theologie, abgesehen von dem Nachweis der Unvermeidlichkeit der einen oder anderen Form solchen politischen Engagements, nichts völlig Neues. Und dennoch enthält sie in vielen ihrer Gestalten ein sehr neuartiges Element. Das ist die Neigung zu einer grundsätzlichen Opposition gegen die gegenwärtige Gesellschaft und ihre Institutionen. Diese negative Einstellung zum jeweils bestehenden Gesellschaftssystem kam in Verbindung mit der Neuentdeckung der Eschatologie und ihrer Bedeutung für den christlichen Glauben auf. Sie findet sich schon beim frühen Barth, der die negative Beziehung der Eschatologie zur gegenwärtigen Welt in seiner Theologie der Krisis als göttliches Gericht über diese Welt artikulierte. Später hat Barth in seiner Ethik der Königsherrschaft Christi eine mehr positive Beziehung und Analogie zwischen Christologie, Kirche und »Bürgergemeinde« entwickelt. Es ist jedoch bemerkenswert, daß nicht so sehr diese spätere Richtung in Barths Denken, sondern vielmehr seine frühe Betonung der Eschatologie und ihres Gegensatzes zur bestehenden Welt durch J. Moltmanns »Theologie der Hoffnung« erneuert worden ist. Die einzig tiefgreifende Modifikation bestand darin, daß nicht mehr die zeitlose Ewigkeit Gottes und seines Wortes der gegenwärtigen Welt entgegengesetzt wurde, sondern Gottes Verheißung seines kommenden Reiches, das durch Frieden und Gerechtigkeit gekennzeichnet ist. Es ist wichtig, den Gesichtspunkt festzuhalten, daß die negative Einstellung gegenüber der gegenwärtigen Verfassung der Gesellschaft das unterscheidende Moment der modernen politischen Theologie bildet. Man könnte das ähnlich wie bei Moltmann auch an der Entwicklung des Denkens von Richard Shaull zeigen, der unter dem Einfluß der dialektischen Theologie begann und später zum Begründer einer Theologie der Revolution wurde. Vielleicht war die Wendung von der Orientierung an dem transzendenten Gott der dialektischen Theologie zum Plädoyer für eine innerweltliche Revolution nicht so radikal, wie Shaull selber gemeint hat. Die Wendung der modernen politischen Theologie gegen die bestehende Verfassung der Gesellschaft scheint nicht in erster Linie aus einem spezifisch politischen Ungenügen begründet zu sein, sondern ihren Ursprung in der prinzipiell negativen Einstellung der dialektischen Theologie gegenüber der natürlichen Welt zu haben. Diese Einstellung tendierte dazu, der gegenwärtigen Gesellschaft die Errungenschaften wahrhaften Friedens und wahrhafter Gerechtigkeit abzusprechen, um sie der eschatologischen Zukunft Gottes vorzubehalten.

Dieser eschatologische Dualismus hat nun aber zweitens nicht nur die Funktion einer Relativierung der gegenwärtigen Welt, so daß diese zum Felde des Vorläufigen gegenüber der Endgültigkeit des eschatologischen Gottesreiches würde, sondern wird zur Forderung einer Veränderung der gegenwärtigen Welt nach dem Maßstab des Gottesreiches der christlichen Hoffnung. Wegen des negativen Charakters der zugrunde liegenden eschatologischen Perspektive erwies es sich dabei als schwierig, das Dringen auf Veränderung der gegenwärtigen Welt nicht nur gleichsam von außen geltend zu machen, sondern auch aus den inneren Spannungen und Problemen des bestehenden Gesellschaftssystems zu begründen. Eigentlich mußte in der Perspektive dialektischer Theologie eine solche Begründung ja als überflüssig, wenn nicht sogar als verbotene Frucht aus dem Garten natürlicher Theologie erscheinen. Wurde aber das Bedürfnis nach einer Verknüpfung der göttlichen Forderung nach radikaler Veränderung mit einer konkret inhaltlichen Beschreibung und Kritik der bestehenden Gesellschaft empfunden, die auf dieselbe Forderung hinauslief, dann legte sich die Verbindung des aus der dialektischen Theologie hervorgegangenen eschatologischen Dualismus mit marxistischer Gesellschaftsanalyse nahe, zu der es im Wirkungsbereich des Barthianismus vielfach gekommen ist. Das ist das dritte, für viele Richtungen heutiger politischer Theologie spezifische Moment, das hier hervorzuheben ist. Während die Zukunft des eschatologischen Gottesreiches als die radikalste Umwälzung der gegenwärtigen Welt erwartet wird, erscheinen die Revolutionen des Proletariats und anderer vermeintlich unterdrückten Teile der Gesellschaft und der Menschheit überhaupt als geeignete Kandidaten für die konkrete Manifestation dieser eschatologischen Revolution in der gegenwärtigen Welt. Hat nicht in der Tat der Gott der Bibel immer auf der Seite der Unterdrückten gestanden gegen ihre Unterdrücker, und ist er nicht seit dem Exodus des Alten Israel aus Ägypten mit der Sache der Befreiung der Unterdrückten verbunden? Als Karl Barth seinen Kommentar zum Römerbrief schrieb, insistierte er darauf, daß das göttliche Gericht sich auf alle menschlichen Bestrebungen gleichermaßen erstreckt, die Revolutionäre ebenso trifft wie die Konservativen.[1] Später jedoch, in seinem berühmten Vortrag über Christengemeinde und Bürgergemeinde unmittelbar nach dem Ende des Zweiten Weltkriegs, kehrte er zu seiner frühen Vorliebe für eine sozialistische Gesellschaft zurück, die er nun begründete als Ergebnis eines der göttlichen Fürsorge für die Armen und Verlorenen analogen Verhaltens.[2] Die Negativität der eschatologischen Krisis, die Universalität des Gerichtsgedankens, wurde durch das Prinzip der Analogie gemildert. Barth war anscheinend nicht beunruhigt durch die Zweideutigkeiten, die sich in solchen scheinbaren Analogien verbergen. Seine erstaunliche Vernachlässigung dieser Zweideutigkeiten dürfte zusammenhängen mit seiner allgemeinen Verachtung für »natürliche« menschliche Erfahrung und die in ihr gegebenen Befunde da, wo es um die Begründung theologischer Argumentation ging. Darin liegt eine bleibende Wirkung seiner grundsätzlich negativen Konzeption der Eschatologie im Verhältnis zur gegenwärtigen Welt der menschlichen Gesellschaft. Dieselbe Tendenz ist in Moltmanns Theologie der Hoffnung wirksam. Er sprach zunächst von einer Affinität zwischen der eschatologischen Sendung der Christen und den revolutionären und chiliastischen Bewegungen der neuzeitlichen Geschichte und benannte die »Sozialisierung der Menschheit« als einen Aspekt der christlichen Heilshoffnung neben Gerechtigkeit, Humanisierung des Menschen und Frieden der ganzen Schöpfung.[3] Begegnen diese Akzente bei Moltmann 1964 noch in verhältnismäßig gemäßigter Form, so findet sich schon 1967 eine ausdrückliche Anerkennung des marxistischen Sozialismus als der neuesten, wenn auch noch unvollständigen Phase im revolutionären Prozeß der Befreiung des Menschen, und 1972 bezeichnete Moltmanns »politische Theologie des Kreuzes« den Sozialismus als das »Symbol für die Befreiung des Menschen aus dem Teufelskreis der Armut«.[4] Als die Befreiungstheologen die neue Eschatologie der »Theologie der Hoffnung« auf der Grundlage eines entschiedeneren politischen Anschlusses an die marxistische Kritik der kapitalistischen Gesellschaft und in Verbindung mit marxistisch bestimmten Bewegungen revolutionärer Befreiung aneigneten und weiterführten, taten sie das in deutlicher Kontinuität mit der Theologie der Hoffnung, trotz einer zunehmenden Tendenz, diese Beziehungen herunterzuspielen zugunsten einer generellen Distanznahme von aller »europäischen« Theologie. Allerdings trat der eschatologische Gesichtspunkt in der Befreiungstheologie mehr oder weniger zurück zugunsten einer mehr induktiven, an marxistischen Analysen orientierten Deutung der gesellschaftlichen Wirklichkeit und ihrer Entwicklungsperspektiven. Dennoch bleiben die theologischen Interpretationen des Gesellschaftsprozesses im Sinne einer göttlichen Geschichte der Befreiung des Menschen von unterdrükkenden Gewalten für ihre christliche Legitimation angewiesen auf die Argumentationen, die im Zusammenhang mit den Bemühungen um eine Erneuerung politischer Theologie aus dem Geiste christlicher Eschatologie entwickelt worden sind.

Bei alledem handelt es sich nicht nur um Beiträge zur theologischen Diskussion, sondern zugleich um den Ausdruck einer bestimmten Richtung christlicher Spiritualität. Gustavo Gutiérrez hat einmal von einer Spiritualität der Befreiung gesprochen, die das christliche Leben neu gestaltet als Antwort auf Bedürfnisse unserer Zeit, nämlich in der Weise eines Engagements für die Befreiung des Volkes von Unterdrückung und Ausbeutung.[5] Nach Gutiérrez geht es dabei um eine Hinwendung christlicher Nächstenliebe zu unterdrückten Völkern, ausgebeuteten Klassen der Gesellschaft, verachteten Rassen und abhängigen, unter Fremdherrschaft lebenden Ländern (192). Hier wird sichtbar, daß das fundamentale Anliegen dieser Spiritualität der Befreiung in der alten Tradition biblischer und christlicher Anteilnahme an den unter Armut und Ungerechtigkeit Leidenden steht. Dennoch ist es sehr bemerkenswert, wie tief sich die Konsequenzen, die die sozialrevolutionäre Programmatik der Befreiungstheologie aus diesen einem jeden Christen teuren ethischen Prinzipien zieht, von denjenigen unterscheiden, die die christliche Kirche in der bisherigen Geschichte des Christentums daraus gezogen hat. Die Traditionslinie, auf die sich die revolutionäre Spiritualität der Befreiung am ehesten berufen kann, ist die des Chiliasmus, der, wenigstens in einigen seiner Formen, ähnliche Visionen revolutionärer Veränderung des Gesellschaftssystems hervorgebracht hat.[6]

Die Bedeutung dieses neuen Chiliasmus politischer Befreiung würde jedoch unterschätzt, wenn man darin nur eine Randerscheinung im Spektrum des heutigen Christentums sehen würde, so wie der mittelalterliche Chiliasmus gewöhnlich als eine Randerscheinung im Leben der mittelalterlichen Kirche gilt. Der Unterschied besteht erstens darin, daß in der gegenwärtigen Christenheit keine einzelne kirchliche Institution eine so überwältigende Solidität besitzt wie die mittelalterliche Kirche. Zweitens gibt es in der gegenwärtigen Welt auch einen säkularen Chiliasmus, den marxistischen Sozialismus, der sich dem modernen christlichen Chiliasmus als gleichsam natürlicher Verbündeter empfiehlt, so sehr sich fragen läßt, ob das Bündnis zwischen religiösen und säkularen Formen den Chiliasmus wirklich so »natürlich« ist. Wegen der beiden erwähnten Unterschiede schließlich besteht heute drittens eine gute Chance für diesen neuen Chiliasmus politischer Befreiung, erhebliche Teile des christlichen Kirchenvolkes mitzureißen. Darin wirkt sich auch die Tatsache aus, daß der Einfluß des christlichen Glaubens auf die bestehenden gesellschaftlichen Verhältnisse im Schwinden begriffen ist. Das ist eine für die Gesellschaftsordnungen der westlichen Welt neben vielen anderen Gründen auch deshalb gefährliche Erfahrung, weil sie eine christliche Option für ein Gegenideal zur bestehenden gesellschaftlichen Ordnung begünstigen kann.

Neben all diesen Faktoren, die das bei weitem größere Gewicht des modernen Chiliasmus im gegenwärtigen Christentum gegenüber dem christlichen Mittelalter verständlich machen, ist aber noch ein weiterer Faktor zu berücksichtigen, der besonders im Protestantismus ausschlaggebend geworden ist. Das ist die Affinität (wenn auch keineswegs Identität) zwischen politischem Chiliasmus und Calvinismus, vor allem im Hinblick auf dessen von Ernst Troeltsch[7] sogenannte »neucalvinistische« Entwicklungsform. Diese Affinität scheint der Zuwendung vieler Christen zu den Verlockungen des marxistischen Chiliasmus christliche Plausibilität und Legitimation zu verleihen. In diesem Zusammenhang erscheint es auch als bemerkenswert, daß der neue Chiliasmus politischer Befreiung aus einer modernen Entwicklungsphase reformierter Theologie hervorgegangen ist, wie sie durch Barth und Moltmann repräsentiert wird. Sicherlich kann die Auseinandersetzung mit zeitgenössischen theologischen Positionen nicht schon dadurch geleistet werden, daß sie auf bestimmte konfessionelle Ursprünge zurückgeführt werden. Eine solche Strategie würde weder diesen Positionen als Ausdruck zeitgenössischer Erfahrung und Reflexion gerecht werden noch ihren Wahrheitsansprüchen. Weder für die Legitimation noch für die Bestreitung theologischer Positionen sollte es heute genügen, deren Ursprünge in gewissen konfessionellen Traditionen aufzuzeigen. Dennoch beeinflußt ohne Zweifel auch heute noch die jeweilige konfessionelle Mentalität die Art und Weise, wie verschiedene Theologen die gegenwärtigen Probleme des christlichen Glaubens und der gesellschaftlichen Welt betrachten, und es ist einfach ein Erfordernis selbstkritischer Bewußtheit, den unterschwelligen Einfluß unseres konfessionellen Erbes auf unsere Denkweisen und die dadurch bedingten Einseitigkeiten der jeweiligen Perspektive zu berücksichtigen. Das kann nur geschehen, indem jeder Theologe seine eigene konfessionelle Tradition ebenso wie die anderen immer wieder einer kritischen Prüfung unterzieht, um so die Gegensätze zwischen den überlieferten Auffassungen und Mentalitäten zu überwinden.

Für die Erörterung der Affinität, aber auch Unterschiedenheit im Verhältnis zwischen dem sogenannten »Neocalvinismus« und dem modernen politischen Chiliasmus bedeutet das, daß ich mit der Kritik an dieser Tradition theologisch-politischen Denkens nicht notwendigerweise für eine traditionelle lutherische Zwei-Reiche-Lehre plädiere. Die Schwächen dieser Lehre scheinen mir offensichtlich zu sein,[8] obwohl gerade in Deutschland viele lutherische Theologen auch heute noch nicht bereit sind, diese Mängel zuzugestehen und statt dessen die Zwei-Reiche-Lehre als den Gipfel der Bemühungen um das Verhältnis von christlichem Glauben und gesellschaftlicher Ordnung feiern. Es ist hier nicht der Ort, auf die Probleme und Schranken dieser lutherischen Lehrbildung genauer einzugehen. Ihr bleibendes Wahrheitsmoment liegt in der Unterscheidung zwischen Kirche und Staat, die das Bewußtsein von der Vorläufigkeit aller weltlichen Ordnung festhält. Ihre wichtigste Schranke aber besteht darin, daß die weltliche Ordnung gegenüber dem spezifisch christlichen Glauben verselbständigt und umgekehrt die politischen Implikationen des christlichen Messianismus und der christlichen Heilshoffnung nicht hinreichend berücksichtigt werden, so daß sie nicht für die Begründung und vor allem auch für die Erneuerung der Rechtsformen des menschlichen Zusammenlebens wirksam werden können. Der Beitrag des Christentums zur Neugestaltung des politischen Lebens im Zeichen des Freiheitsgedankens ist daher in der Neuzeit nicht vom Luthertum, sondern vom Calvinismus ausgegangen, wie Ernst Troeltsch das in seinem klassischen Werk über die Soziallehren der christlichen Kirchen und Gruppen gezeigt hat. Wer diesen Sachverhalt bedenkt, wird sich nicht damit begnügen können, die Verirrung derjenigen zu bemitleiden, die als Christen dem Sog eines säkularen Chiliasmus anheimfallen. Das moderne Drängen auf Konsequenzen aus den zentralen Inhalten des christlichen Glaubens für die aktuellen Probleme des sozialen Lebens und für seine fundamentalen Strukturen muß ernster genommen werden, als das auf der Basis der traditionellen lutherischen Lehre möglich ist. Die Neigung vieler Christen zu einem säkularen Chiliasmus mag als letztlich unangemessen beurteilt werden, weil die hinter einem solchen Engagement stehenden religiösen Impulse unvermeidlich in tragischer Enttäuschung enden müssen. Aber Mitleid ist gegenüber diesem Phänomen nicht genug, und auch bloße Ablehnung genügt nicht, weil in dieser Identifikation von Religion und Politik auch ein Wahrheitsmoment steckt. Die augustinische Scheidung der beiden Reiche, in deren Tradition auch Luther stand, hat das Wahrheitsmoment des Strebens nach einer Verbindung von Glauben und politischer Vision nie genügend ernst genommen als Ausdruck der Sehnsucht nach einem ganzheitlich christlich bestimmten Leben. So ist es kein Zufall, daß die wichtigsten Beiträge zur modernen Entwicklung einer christlichen politischen Ethik vom Calvinismus und aus der baptistischen Tradition kamen, nicht unmittelbar aus dem Erbe der lutherischen Reformation. Jede christliche politische Ethik muß heute die wichtigsten Errungenschaften calvinistischer und baptistischer Ideen über religiöse und politische Freiheit in sich aufnehmen, während die lutherische Unterscheidung zwischen dem geistlichen und dem weltlichen Reich nur den eschatologischen Vorbehalt gegenüber jeder enthusiastischen Identifizierung der Vorläufigkeit des Staates ebenso wie der kirchlichen Ordnung mit der Zukunft des Gottesreiches, die im Leben der Kirche schon als Gegenwart erlebt und gefeiert wird, beiträgt. Der Unterschied zwischen dem Endgültigen und dem Vorläufigen ist sicherlich fundamental und sollte nicht eingeebnet werden. Andernfalls gelangt man zu einer abgöttischen Apotheose einer bestehenden oder erst noch zu schaffenden politischen Ordnung und damit immer auch zu Illusionen, die früher oder später an der Realität scheitern müssen. Dennoch bleibt die notwendige Frage, wie vom Zentrum des christlichen Glaubens her vorläufige und durchaus überholbare Modelle für die Erneuerung des Gesellschaftssystems wie auch der kirchlichen Strukturen gewonnen werden können. In dieser Frage aber hat sich in der Geschichte des Protestantismus die calvinistische Tradition als bei weitem überlegen und als bei weitem produktiver erwiesen.

Einen wichtigen Unterschied der Theologie Calvins von den früheren Formen lutherischer Lehrbildung hat man oft in Calvins Betonung der Heiligung gefunden. Sicherlich hat auch Luther von Anfang an ganz unzweideutig betont, daß wahrer Glaube auch gute Werke hervorbringen wird und daß das so natürlich und unausbleiblich geschieht, wie daß der gute Baum auch gute Früchte trägt. Gelegentlich konnte Luther sogar davon sprechen, daß der Christ in der Abtötung des Fleisches durch den Geist Fortschritte macht, und er betrachtete das Gesetz als eine Hilfe in diesem Kampf des Geistes gegen das Fleisch.[9] Aber Calvin hat diese Gedanken in einer neuen Weise systematisiert, indem er die Buße als einen Prozeß der Erneuerung oder »Bekehrung« beschrieb (Inst. III, 3, 5), der sich im Leben des Individuums vollzieht. Luther dagegen betrachtete die Buße als identisch mit dem Glauben, durch den der Mensch jenseits seiner selbst in Christus versetzt wird. In dieser Frage bewegte sich Calvin mit seiner psychologischen Interpretation der Buße als eines Prozesses im Leben des Individuums in größerer Nähe zur mittelalterlichen Scholastik und auch zu Melanchthon als zu Luther, obwohl es Luthers Rechtfertigungslehre war, die er in dieser Weise neu formulierte. Das Ereignis der Bekehrung als der Umwandlung unserer Seelen enthält in seiner Sicht sowohl unsere Rechtfertigung als auch unsere Heiligung (Inst. III, 3, 6f. und 11, 1ff.). Rechtfertigung und Heiligung bilden eine unzertrennliche Einheit, und beide zusammen bringen zum Ausdruck, daß Christus durch seinen Geist in uns wohnt.[10] Calvins Verständnis der Bekehrung als eines seelischen Prozesses, der sich im individuellen Leben vollzieht, macht auch seine umstrittenen Aussagen über die Selbsterfahrung des Christen als Erfahrung der eigenen Heiligung und als eines Zeichens der Erwählung[11] verständlich, sowie seine Empfehlung solcher Selbstprüfung. Die Auffassung von Rechtfertigung und Heiligung als Elementen im Prozeß der Bekehrung steht auch hinter Calvins hoher Einschätzung der Bedeutung moralischer Disziplin in der Kirche.[12] Da der Christ durch den Geist ein Glied Christi geworden ist, so gehört er nun zum Leibe Christi, und da das durch den Prozeß individueller Bekehrung geschieht, ist es nur natürlich, daß die Glieder des Leibes Christi nicht nur für die eigene Heiligung Verantwortung tragen, sondern auch für die der anderen. Obwohl der aktive Prozeß der Heiligung sich primär im einzelnen Menschen vollzieht, handelt es sich bei ihm zugleich um ein Anliegen der christlichen Gemeinde.

An dieser Stelle erhebt sich die Frage, wie der Prozeß der Erneuerung und Heiligung sich zur politischen Organisation des menschlichen Zusammenlebens verhält. Diese Frage ist in Calvins Schriften nicht ausdrücklich erörtert worden, weil er klar unterschied zwischen dem heiligenden Wirken des göttlichen Geistes in der Kirche und dem säkularen Bereich des weltlichen Regiments. Sogar in der Kirche ist die Heiligung, wie schon hervorgehoben wurde, primär ein Prozeß der geistlichen Erneuerung der Individuen, nicht der kirchlichen Gemeinschaft als solcher. Dennoch gibt es bei Calvin gewisse Punkte positiver Entsprechung zwischen der Gemeinschaft der Christen und dem weltlichen Regiment. Erstens betrachtet er das weltliche Regiment nicht nur als Ausdruck einer generellen göttlichen Fürsorge zur Erhaltung der Menschen durch das Mittel der gesellschaftlichen Ordnung, sondern auch als einen Dienst, der einer charismatischen Leitung und Begabung durch den Geist Gottes bedarf.[13] Dabei handelt es sich natürlich nicht um die erneuernde und erlösende Wirksamkeit des Geistes, die auf die Kirche begrenzt ist, sondern um eine spezielle Form der Wirksamkeit des Geistes in der gesamten Schöpfung. Aber es ist doch derselbe Geist, dessen volle, erlösende Kraft dem Glaubenden offenbar wird. Ein zweiter Berührungspunkt ist, daß nach Calvin alles weltliche Regiment die Königsherrschaft Christi, des ewigen Königs, abbildlich repräsentiert. Obwohl nur die Kirche den geistlichen Herrschaftsbereich Christi bildet,[14] sind doch alle weltlichen Machthaber aufgefordert, sich demütig dem großen König Jesus Christus und seinem geistlichen Szepter zu unterwerfen.[15] Daher erwartete Calvin von den weltlichen Machthabern, daß sie nicht nur die Gebote der zweiten Tafel des Dekalogs beachten und befolgen, sondern auch diejenigen der ersten Tafel. Das heißt, sie sind verpflichtet, die wahre Religion zu fördern, zu erhalten und zu verteidigen,[16] und die Legitimität ihrer Macht ist abhängig von ihrem Gehorsam gegen die Forderungen des göttlichen Gesetzes. Es gibt also bei Calvin, obwohl er durchaus zwischen dem geistlichen Reich Christi in der Kirche und der säkularen Gesellschaft unterschied, doch einen engeren Zusammenhang zwischen beiden als etwa in Luthers Lehre, einen engeren Zusammenhang auch als sonst im Bereich augustinischer Tradition. Diese spezifische Tendenz seines Denkens dürfte sich vor allem aus dem Einfluß theokratischer Vorstellungen des Alten Testaments auf Calvins Theologie erklären.

Die Autorität des Alten Testaments in Calvins Denken ist auch für das Verständnis seiner Vorstellungen über die ideale Gestalt des weltlichen Regimentes wichtig: Entsprechend der deuteronomistischen Kritik an der Entstehung der Monarchie im Alten Israel (1 Sam, 8, 7 f.) stand auch Calvin der monarchischen Regierungsform, besonders der Erbmonarchie, mit tiefem Mißtrauen gegenüber. Er sagte ausdrücklich, daß monarchische Herrschaft nicht vereinbar sei mit der politischen Freiheit, die durch das weltliche Regiment gefördert werden sollte.[17] Seine Bevorzugung einer republikanischen Regierungsform, die Calvin allerdings nicht demokratisch, sondern eher aristokratisch dachte, hat ihre Wurzeln nicht nur in der humanistischen Perspektive des ehemaligen Juristen, sondern auch in seinem Verständnis der Schrift: Er betrachtete die charismatische Leitung des Volkes durch Mose und in der Zeit der Richter als das göttliche Paradigma für die ideale Gestalt des weltlichen Regiments, – eine Auffassung, die sehr gut zu seiner generellen »pneumatokratischen« Betrachtungsweise[18] paßt. Es zeigt sich also, daß trotz aller Vorbehalte eine bedeutsame Entsprechung zwischen dem Prozeß der Heiligung im einzelnen Christen und der Konzeption des weltlichen Regiments bei Calvin besteht: Obwohl die beiden Bereiche unterschieden bleiben, werden sie doch beide gemeinsam der Aktivität und den Zwecken des göttlichen Geistes zugeordnet, und daher muß es als ganz natürlich erscheinen, daß Christen sich auch im Bereich des weltlichen Regimentes für die Zielsetzungen des göttlichen Geistes engagieren.

Die berühmte Theorie Max Webers behauptete, daß der moderne Kapitalismus in calvinistischer Frömmigkeit wurzele, weil von den einzelnen Christen im Prozeß ihrer persönlichen Heiligung erwartet wurde, daß sie ein rational kalkuliertes und diszipliniertes Leben führten, einen asketischen Lebensstil entwickelten, der in ihrem Bewußtsein ihrer Berufung begründet war und zu dem sie motiviert wurden durch den Wunsch, sich ihrer Berufung und Erwählung zu vergewissern angesichts der Erfolge ihres Bemühens um Heiligung. Mit diesen Argumenten konnte Weber die große Bedeutung einer bestimmten religiösen Motivation für die Entstehung des modernen Wirtschaftssystems nachweisen. Aber seine Beschreibung blieb einseitig, weil er seine Untersuchung auf das Verhalten der calvinistischen Christen im Wirtschaftsleben beschränkte. Ganz bewußt löste er den Aspekt des privaten Verhaltens vom sozialen Engagement der puritanischen Ethik ab, welch letzteres nicht nur auf die christliche Gemeinschaft, sondern auch auf eine theokratische Neugestaltung der politischen Ordnung zielte. Auf diese Einseitigkeit ist seit Ernst Troeltsch verschiedentlich hingewiesen worden, neuerdings besonders durch das umstrittene Werk von Michael Walzer und in einer ausgewogeneren Weise durch James L. Adams:[19] Das puritanische Bemühen um Heiligung betraf nicht nur die Sphäre individueller Lebensführung, sondern schloß auch gesellschaftliche und politische Konsequenzen in sich. Es ist ein wichtiges Element calvinistischer Spiritualität gewesen, daß ihr eine Tendenz zur Neugestaltung der politischen Ordnung eignet. Das säkulare Leben der Gesellschaft erscheint nicht als ein eigengesetzlicher Bereich, wo christliche Prinzipien keine direkte Anwendung finden, und die Erwartung der Christen und der Kirche richtet sich auch nicht nur darauf, daß in diesem Bereich allgemeine Prinzipien des Naturrechts beachtet werden. Vielmehr fungiert eine spezifisch christliche, theokratische Konzeption als Kriterium bei der Beurteilung der Amtsführung des weltlichen Regiments, aber auch der politischen Form des Gesellschaftssystems überhaupt. Dennoch unterscheidet sich diese Auffassung vom Chiliasmus, weil sie nicht den Anspruch erhebt, das eschatologische Reich Christi in dieser Welt durch politisches Handeln zu realisieren. Die Differenz zwischen Kirche und Welt, zwischen Heiligung und Politik, bleibt im Prinzip gewahrt. In modernen Darstellungen der calvinistischen politischen Ethik – wie etwa bei Karl Barth – wird diese Differenz dadurch ausgedrückt, daß von einer bloßen Analogie der Bürgergemeinde zur Christengemeinde gesprochen wird. Dennoch besteht hier stets die latente Gefahr, daß solche Unterscheidungen durch die Dynamik des theokratischen Prinzips hinweggespült werden.

Diese Gefahr wurde als alarmierend empfunden, als im Verlaufe der puritanischen Revolution in England die Presbyterianer ihr Modell religiöser Uniformität dem ganzen Lande aufzudrängen versuchten. Als demgegenüber die englischen Independenten das Prinzip der religiösen Freiheit gegen die Forderung nach uniformer Durchführung presbyterianischer Institutionen wandten, erfolgte ein Durchbruch von weitreichender Bedeutung und Wirkung in der Geschichte des christlichen politischen Denkens. Dabei wurde die Wendung zum Gedanken der religiösen Freiheit nicht als ein Kompromiß oder als Preisgabe puritanischer Prinzipien empfunden, sondern vielmehr als die Vollendung und wahre Konsequenz der Idee der christlichen Freiheit, der »Reform der Reformation selbst«, wie Milton und andere es ansahen.[20] In der Tat konnte der Gedanke der Zusammengehörigkeit von christlicher und politischer Freiheit aus den Schriften Calvins selber abgeleitet werden. Der einzige Faktor, der hinzuzufügen blieb, war die Doktrin der Volkssouveränität, eine Doktrin, der Calvin seine Zustimmung versagt hatte.[21] Sicherlich bedeutete der Gedanke der Religionsfreiheit mit dem damit verbundenen religiösen Pluralismus einen Bruch gegenüber dem Ideal theokratischer Uniformität, das sich von Calvins Denken herleitete. Aber es bedeutete nicht die Preisgabe des theokratischen Ideals als solchen. Dieses konnte gerade auf den Freiheitsgedanken konzentriert werden. So hat denn auch Milton die »English liberty« gefeiert als Verwirklichung des Grundgedankens, daß Gott allein Souverän ist. Und Cromwell sprach in einer wichtigen Ansprache an das Parlament im Jahre 1657 von der religiösen und der politischen Freiheit als den beiden größten Anliegen, die Gott in dieser Welt hat, und beschrieb die Religion als Gottes besonderes Anliegen, welches sowohl darauf zielt, daß alle Gläubigen sich der ihnen geschuldeten Freiheit gleichmäßig erfreuen, als auch darauf, daß sie diese Freiheit gebrauchen, um die Wahrheit Gottes zu bekennen.[22] So konnte sowohl die religiöse als auch die politische Freiheit als Verwirklichung der unmittelbaren Souveränität Gottes verstanden werden, und zwar in einer Weise, die die falsche Theokratie einer dogmatischen Uniformität vermied.

Dieses »neucalvinistische« Modell der Beziehung von Religion und Gesellschaft, wie Troeltsch es genannt hat, wurde zugleich ganz explizit als politische Verwirklichung des fundamentalen Prinzips der Reformation verstanden, des Prinzips der christlichen Freiheit. Dennoch war dieses Modell nicht chiliastisch, weil es seine Grundlage hatte in der fundamentalen Differenz zwischen Gott, dem allein die Herrschaft gebührt, und seinen Geschöpfen, von denen keines berechtigt ist zu monarchischer Herrschaft über die anderen oder zu irgendwelchen exklusiven Ansprüchen auf göttliche Wahrheit und Autorität. Das Prinzip des Pluralismus im politischen Bereich ebenso wie in dem der Religion beruht darauf, daß der Mensch nicht Gott ist. Diese Botschaft ist deutlich genug. Dennoch enthält sie auch eine eigentümliche Zweideutigkeit, mit der die christliche Legitimation religiöser und politischer Freiheit behaftet bleibt. Die christliche Freiheit, wie sie vom Apostel Paulus und dem Evangelisten Johannes konzipiert und in der Lehre der Reformation von der Rechtfertigung aus Glauben allein wiederentdeckt wurde, beruht auf der Verbundenheit des Glaubenden durch Christus mit Gott. Die modernen Prinzipien religiöser und politischer Freiheit hingegen fungieren auf der Basis des weltlichen Regiments im Unterschied zu Gottes Reich, angesichts der Differenz zwischen der göttlichen Wahrheit und menschlicher Lehre über diese Wahrheit. Wie kann unter solchen Umständen religiöse und politische Freiheit als Konsequenz aus der Freiheit verstanden werden, die der Christ in seiner Gemeinschaft mit Gott durch den Glauben hat? Handelt es sich hier nur um eine verführerische Zweideutigkeit im Gebrauch eines und desselben Ausdrucks, Freiheit? Die scheinbare Analogie könnte in der Tat ganz abwegig sein. Die Ungebundenheit der eigenen Willkür und die christliche Idee der Freiheit durch Gemeinschaft mit Gott haben kaum etwas gemein. Wenn aber im Fall Calvins ebenso wie der puritanischen Revolution die Analogie zwischen christlicher und politischer Freiheit nicht nur den Zweideutigkeiten der Sprache zuzuschreiben ist, so liegt der Grund dafür darin, daß die Freigabe politischer und religiöser Freiheit des einzelnen wegen seiner Unmittelbarkeit zu Gott unter der Leitung des Heiligen Geistes geboten schien. Im Gegensatz zur Unterordnung unter menschliche Herrschaft bedeutet politische Freiheit in dem Maße wahrhafte Freiheit, in dem der einzelne durch den Geist Gottes geleitet wird, und religiöse Freiheit vom Gehorsam gegen menschliche Autoritäten ist nur insoweit wahre Freiheit als sie die Möglichkeit offenhält, daß der einzelne die Wahrheit Gottes bekennt, der er in seinem Gewissen unmittelbar verpflichtet ist. Ohne diesen Bezug auf das Gegenüber Gottes bedeuten die modernen Freiheitsrechte nur Freigabe individueller Willkür. Dabei mag es notwendig sein, wenn man die Möglichkeit authentischer Freiheit offenhalten will, das Risiko in Kauf zu nehmen, daß Freiheit pervertiert wird zu individueller Willkür. Aber die politischen Prinzipien der bürgerlichen und religiösen Freiheit geben als solche keine Auskunft darüber, ob sie in der einen oder anderen Weise gebraucht werden. Darum bleiben die neuzeitlichen Freiheitsrechte mit einer tiefgehenden Zweideutigkeit behaftet im Hinblick auf die Beziehung von politischer und religiöser Freiheit zur evangelischen Lehre von der Freiheit des Christen.

Diese Zweideutigkeit spitzte sich zu, als wenig später der frühe Liberalismus das Prinzip der Freiheit allein auf der Grundlage des Naturgesetzes definierte.[23] Die liberalistische Konzeption der Freiheit des Individuums kam in ihrem ideologischen Gesamtkonzept einem chiliastischen Modell des gesellschaftlichen Lebens, dem Glauben an die Gegenwart des Goldenen Zeitalters, sehr nahe. Aber es war eine säkulare Form des Chiliasmus, weil die Idee der Theokratie nun verblaßte und nicht mehr die Wurzel des Freiheitsgedankens bildete. Dieser säkulare Chiliasmus resultierte aus der allgemeineren Tatsache, daß die Konfrontation und Entsprechung zwischen christlicher Gemeinde und säkularer Gesellschaft aufhörte, ein strukturierendes Element der politischen Theorie selbst zu sein. Infolgedessen verschwand die theokratische Konzeption aus der politischen Theorie und wurde ersetzt durch den säkularen Chiliasmus der liberalen Ideologie, die nun als eine *civil religion* fungierte. In dieser Phase der Entwicklung begann die Erinnerung an die Analogie zwischen christlicher und politischer Freiheit den tiefen Gegensatz zwischen dem Liberalismus als einer politischen Ideologie, einer *civil religion,* und dem christlichen Gedanken der Herrschaft Gottes zu verschleiern. Ohne dieses theokratische Element aber konnte die Meinung, es bestehe eine solche Analogie im Freiheitsverständnis, die Kapitulation des christlichen Glaubens gegenüber einem triumphierenden Säkularismus begünstigen. Die in der Ideologie des Liberalismus enthaltene Täuschung wurde schon von Karl Marx in seiner Kritik des bloß formalen Charakters der bürgerlichen Freiheiten und in der Theologie dieses Jahrhunderts von Reinhold Niebuhr herausgestellt.[24] Trotz der Berechtigung solcher Kritik allerdings bleibt das negative Element in den modernen Prinzipien religiöser und politischer Freiheit unwidersprochen: Sie verweigern jeder menschlichen Instanz, jeder menschlichen Lehre und jeder menschlichen Regierung die absolute Autorität, die allein Gott beanspruchen könnte. In dieser negativen Bedeutung ihres Freiheitsgedankens blieb die liberale Kultur stillschweigend abhängig von dem theokratischen Ideal.

Gerade an diesem Punkt weicht nun aber die heutige Befreiungstheologie von der liberalen Tradition ab. Sie trifft kaum Vorkehrungen dagegen, daß eine neue Machtelite eine tyrannische Herrschaft ausübt, nachdem sie unter dem Vorwand einer »Befreiung« des Volkes von Unterdrückung zur Herrschaft gelangt ist, wie das ja gewöhnlich bei revolutinären Umstürzen oder Kriegen geschieht. Manche Befreiungstheologen sind an diesem Punkte so naiv und der hier lauernden Gefahren offenbar so wenig gewärtig, daß sie sogar die Unterscheidung der europäischen eschatologisch orientierten Theologie zwischen der endgültigen Zukunft des Reiches Gottes und vorläufigen, fragmentarischen Antizipationen dieser Zukunft durch menschliches Handeln ablehnen.[25] Sie befürchten wohl, daß solche Unterscheidungen das Engagement des Volkes für das neu durchzusetzende Modell einer veränderten Gesellschaft vermindern könnten. In der Tat vermindert es den Fanatismus, wenn die Leute von der Einbildung abgehalten werden, daß sie für die absolute Wahrheit selber fechten. Aber seltsamerweise scheinen solche Befreiungstheologen den abgöttischen Fanatismus von Revolutionären nicht zu fürchten, die ihre Gegner als Feinde der absoluten Wahrheit selber betrachten.

Das hier zugrunde liegende Problem, das der Barthianismus und die eschatologisch orientierte politische Theologie mit den Befreiungstheologen verbindet, ist die Zweideutigkeit des Redens über Befreiung und Unterdrückung. Barth leitete die Forderung nach politischer Freiheit durch einen Analogieschluß von der Freiheit der Kinder Gottes ab. Das hatten auch die englischen Independenten des 17. Jahrhunderts getan, nur war es in ihrem Falle – ebenso wie im Falle Calvins – nicht ihr einziges Argument. Im Falle Calvins war die Grundlage solcher Analogieschlüsse durch seine Vorliebe für die vormonarchischen Regierungsformen des Alten Israel ebenso wie des alten Rom in Verbindung mit seinen pneumatokratischen und theokratischen Ideen gegeben. Im Falle der Independenten war es die Idee der Volkssouveränität mit den dazugehörigen Prinzipien des Naturrechts zusammen mit einer durchgängigen Begrenzung menschlicher Autorität gegenüber der Autorität Gottes und dem andauernden Einfluß des Ideals einer unmittelbaren Herrschaft des Geistes in den Herzen der Menschen. Auch Barth teilte natürlich das Anliegen einer Abgrenzung menschlicher Autorität von der Gottes selber. Nur führte ihn dieses Anliegen dazu, auf jedes Argument aus dem Bereich menschlicher Erfahrung und Vernunft zu verzichten, so daß ihm schließlich nur die Zweideutigkeiten vager Analogieschlüsse aus christologischen Behauptungen blieben. Das theokratische Element wurde zu einem leeren Anspruch des Theologen für seine subjektiven Behauptungen, jedenfalls außerhalb der Mauern der Kirche. Da die Hoffnungstheologie in ähnlicher Weise die säkulare Welt mit den prophetischen Verheißungen der Bibel konfrontiert, tendiert sie ebenfalls dazu, in ähnlichen Sprechweisen im säkularen Bereich Analogien oder Antizipationen der prophetischen Verheißung anzuerkennen, ohne durch empirische Untersuchung und Vergleichung festzustellen, ob und in welchem Grade die betreffenden weltlichen Hoffnungen tatsächlich vergleichbar sind mit dem Inhalt der prophetischen Verheißung. Dieses ziemlich leichtfertige Verfahren bei der Herstellung von Beziehungen zwischen der überlieferten theologischen Sprache und gewissen historischen und zeitgenössischen Phänomenen, Situationen und Hoffnungen ist verständlich, wenn man sich erinnert, daß diese Theologien von dem Gegensatz des Wortes Gottes zur Welt ausgehen, ohne der Welterfahrung, der Erfahrung der Geschichte und der Selbsterfahrung des einzelnen samt ihren psychologischen Bedingungen grundsätzlich eine theologische Relevanz zuzubilligen.

Die Befreiungstheologie gibt teilweise weitere Beispiele für solche

Argumentationsformen, obwohl sich mit ihr darüber hinaus andere, eigene Strukturprobleme theologischer Argumentation verbinden. Zunächst also einige Bemerkungen zum Gebrauch vager Analogien. Gustavo Gutiérrez unterscheidet drei Ebenen der Befreiung: erstens die politische und ökonomische Ebene, zweitens die Ebene menschlicher Selbstemanzipation im Prozeß der Geschichte und drittens das biblische Freiheitsverständnis.[25] Ohne die hier bestehenden Probleme zu würdigen, behauptet er, daß alle diese Konzeptionen der Befreiung einander ergänzen. Er sagt ganz ausdrücklich, daß sie sich gegenseitig bedingen und nur drei verschiedene Bedeutungsebenen eines einzigen Befreiungsprozesses darstellen. Wie aber, wenn diese verschiedenen Phänomene wenig mehr gemein haben als das Wort »Befreiung«? Wie wird der Theologe damit fertig, daß die Konzeption der menschlichen Geschichte als eines Prozesses menschlicher Selbstbefreiung in diametralem Gegensatz zu der christlichen Botschaft entstand, derzufolge die Menschen nicht von sich aus frei sind oder werden können, sondern allein durch den Geist Christi befreit werden? Wie ist es möglich, einen solchen Konflikt zu harmonisieren, indem leichthin von »Bedeutungsebenen« in einem und demselben Prozeß gesprochen wird? Aber Gutiérrez hat nicht einmal eine solche Harmonisierung versucht. Er ignoriert das Faktum, daß hier ein Problem besteht. Und er wendet kaum mehr Mühe auf, um seine Behauptung zu verteidigen, daß mehr als eine nur verbale Gemeinsamkeit besteht zwischen der christlichen Botschaft der Befreiung des Menschen von der Macht der Sünde durch Jesus Christus und den »Aspirationen sozialer Klassen und unterdrückter Völker« für ihre Befreiung. Das Problem liegt darin, daß solche Aspirationen sozialer Klassen und sich selber unterdrückt fühlender Nationen nicht in jeder Hinsicht gerechtfertigt sein müssen. Ob sie das sind oder nicht, ob ihre Ansprüche Ausdruck exzessiver Selbstbehauptung und Selbsterweiterung auf Kosten anderer sind, kann nur durch übergeordnete Kriterien der Gerechtigkeit entschieden werden. Nur eine Theorie der Gerechtigkeit kann begründen, daß – unbeschadet des Anspruchs eines jeden Menschen auf gleiche menschliche Würde – Ungleichheiten zwischen den Individuen unvermeidlich sind und welche derartigen Ungleichheiten als gerechtfertigt oder zumindest als erträglich anzusehen sind auf der Basis der unterschiedlichen individuellen Beiträge zum System der Gesellschaft im ganzen. John Rawls' »Theory of Justice«[27] und die durch dieses Buch veranlaßte Diskussion demonstrieren in sehr lehrreicher Weise, mit welchen

Schwierigkeiten eine solche Theorie zu kämpfen hat. Ihr Grundproblem scheint in der Frage zu liegen, ob eine Theorie der Gerechtigkeit mit der Annahme der traditionellen Vorstellung vom Sozialvertrag einsetzen sollte, daß die Individuen beim Abschluß des Gesellschaftsvertrages völlig gleich und voneinander unabhängig sind, oder ob solche Abstraktionen zwangsläufig zu falschen Schlußfolgerungen führen. Im letzteren Falle müßte der Begriff der Gerechtigkeit in enger Verbindung mit einer Beschreibung des jeweiligen Gesellschaftssystems und der Hierarchie seiner maßgeblichen Werte entwickelt werden. Ich neige zu dieser zweiten Alternative und betrachte die Annahme einer bestimmten geschichtlichen Gesellschaftsstruktur mit den dazugehörenden Wertsetzungen als theoretisch unerläßlich für jede konkrete Anwendung der aristotelischen Regel: Jedem das Seine. Das bedeutet, daß die Idee der Gerechtigkeit nicht durchführbar ist ohne Rückgriff auf die religiösen Grundlagen einer bestimmten Gesellschaft und der für sie maßgeblichen kulturellen Überlieferung. Doch wie immer der Begriff der Gerechtigkeit begründet werden mag: es ist erst auf der dadurch gewonnenen Basis möglich, die Aspirationen einzelner Individuen oder Gruppen zu beurteilen, ob sie als gerechtfertigt oder als übertrieben und die Rechte anderer verletzend zu beurteilen sind. Gutiérrez freilich scheint an einem solchen Kriterium der Gerechtigkeit gar nicht interessiert. Jedenfalls spricht er ohne alle Umstände von den Aspirationen von Klassen und unterdrückten Nationen. Ob aber eine Gruppe oder Nation tatsächlich als »unterdrückt« zu betrachten ist, läßt sich nur nach dem Maßstab eines Begriffs der Gerechtigkeit entscheiden.[28] Wenn die erhobenen Ansprüche einem solchen Maßstab nicht standhalten, so kann sich in den Klagen über »Unterdrückung« sehr wohl ein solcher exzessiver und nicht annehmbarer Anspruch verbergen, der dann mehr gemein hat mit der Sünde selbst als mit der Befreiung von der Macht der Sünde, die Christus uns bringt. Wie kann man aber dann die Tendenz zur Selbstbehauptung gegen irgendwelche gesellschaftlichen Schranken ohne weiteres als ein integrales Moment, eine »Bedeutungsebene« im Prozeß der Befreiung von Egoismus und Ichbefangenheit deuten, die durch den Geist Gottes geschenkt wird, der nach der Schrift allein wahre Freiheit in uns hervorbringt?

Dasselbe Problem begegnet auch in manchen Formen der Schwarzen Theologie, die man als eine spezielle Variante der »Befreiungstheologie« betrachten kann. Aber hier gibt es erhebliche Unterschiede. Während afrikanische Theologen wie Manas Buthelezi die Bezeichnung »black theology« für die Aufgabe benützen, die Bedeutung und die besondere Würde schwarzen Menschseins theologisch zu beschreiben,[29] gebraucht James Cone den Ausdruck »black theology« für ein revolutionäres Programm politischer »Befreiung« der Schwarzen im Gegensatz zu den Weißen, die dabei nur als Unterdrücker der Schwarzen erscheinen.[30] In seiner Sicht scheint Gott allein der Gott der Schwarzen zu sein, weil sie, wie er meint, die Unterdrückten seien. Das Eigeninteresse der Schwarzen als eines Teils der Menschheit im Unterschied von anderen und der Wille Gottes werden hier identifiziert. Cones Formulierungen streifen oft gefährlich nahe an einen schwarzen Rassismus. Er meint, dagegen geschützt zu sein, weil doch die Schwarzen die Unterdrückten sind, auf deren Seite der Gott der Bibel steht. Doch auch das deutsche Volk hat sich nach dem ersten Weltkrieg als unterdrückt verstanden und sich eben dadurch den Verlockungen des nationalsozialistischen Rassismus geöffnet. Wer die Gefahr des Rassismus vermeiden will, muß Gottes Bejahung des Lebens aller Menschen – ob weiß, schwarz, gelb oder rot – und ihre gemeinsame Berufung zu der einen Kirche aus allen Völkern und Rassen annehmen. Das schließt nicht aus, daß ein schwarzer Theologe heute nach der besonderen Berufung schwarzer Menschen in der heutigen Menschheit fragt, aber diese Frage muß wie jede Behauptung einer besonderen Berufung innerhalb des Rahmens der einen universalen Kirche bleiben und darf sich nicht als Feindseligkeit gegen andere Gruppen artikulieren. Cone mag behaupten, daß solche Feindseligkeit sich gegen weiße Menschen nur insofern richtet als sie als Unterdrükker auftreten. Aber an diesem Punkte meldet sich wieder die Notwendigkeit einer allgemeinen Theorie der Gerechtigkeit, die sich auf alle Rassen gleichermaßen bezieht und den Maßstab dafür abzugeben vermag, was mit Recht »Unterdrückung« genannt zu werden verdient.

Es ist sicherlich kein Zufall, daß Gutiérrez und andere Befreiungstheologen eine Diskussion des Begriffs der Gerechtigkeit als eines allen partikularen Gruppeninteressen übergeordneten Maßstabes nicht für nötig hielten. Nach dem Zusammenbruch der Identifizierung des offenbarten Gesetzes mit der christlichen Theorie eines »relativen« Naturrechts gibt es heute keine allgemein akzeptierte christliche Theorie der Gerechtigkeit. Es hilft nicht viel, sich statt dessen auf den christlichen Liebesgedanken zu berufen. Sicherlich ist der Liebesgedanke das letzte christliche Kriterium sogar der Gerechtigkeit, aber nur in Verbindung mit einem Begriff der Gerechtigkeit läßt sich der Liebesgedanke auf Situationen sozialer Konflikte anwenden. Ohne einen solchen Begriff von Gerechtigkeit ist es wenig sinnvoll, über »Orthopraxie« zu sprechen und sie anstelle der überlieferten Lehre als neues Kriterium für die Echtheit des Glaubens zu empfehlen. Der Ruf nach »Orthopraxie« mag heute in erster Linie ein Indiz für das undeutliche, aber unbehagliche Gefühl sein, daß ein Kriterium der Gerechtigkeit im christlichen Denken fehlt.

In dieser Situation ersetzt die Befreiungstheologie die Ethik und ihr Prinzip der Gerechtigkeit durch Gesellschaftstheorie. Das kann natürlich nur dann geschehen, wenn die dafür ausgewählte Gesellschaftstheorie selber normative Elemente einschließt, wie es beim Marxismus der Fall ist, nämlich Elemente des sogenannten »absoluten« Naturrechts,[31] und die gesamte marxistische Analyse der kapitalistischen Gesellschaft läßt sich lesen als Erklärung dafür, warum in der bürgerlichen Gesellschaft das Naturrecht nicht so funktioniert, wie es nach der liberalen Theorie funktionieren sollte. Gleichzeitig legt die marxistische Theorie dar, wie im Prozeß der Geschichte eine Situation entstehen wird, die die volle Verwirklichung von Freiheit und Gleichheit, der grundlegenden Prinzipien des Naturrechts, erlauben wird. Indem der Marxismus, wenn auch nur auf dem Wege einer Revolution der Gesellschaft, eine solche Situation für erreichbar hält, ist er ein chiliastisches System. Das ist auch der Grund, warum in der Befreiungstheologie die fehlende ethische Theorie der Gerechtigkeit durch den Marxismus ersetzt werden konnte. Unverständlich bleibt nur, daß sich in der Befreiungstheologie so wenig kritische Reflexion über die Vereinbarkeit der marxistischen ökonomischen Theorie und Analyse, besonders ihrer Lehre vom Klassenkampf, mit dem christlichen Glauben findet. Auch eine kritische Untersuchung der empirischen Zuverlässigkeit des theoretischen Rahmens der marxistischen Analyse der kapitalistischen Gesellschaft sucht man vergebens. Die marxistische Werttheorie, die den ökonomischen Wert ausschließlich auf menschliche Arbeit zurückführt, und zwar auf quantitativ meßbare menschliche Arbeit, hat ebenso wie der davon abhängige Schlüsselbegriff des »Mehrwerts« vernichtende Kritik erfahren. Ohne diesen Begriff des Mehrwerts aber fällt die theoretische Basis für die in der marxistischen Propaganda im Vordergrund stehenden Begriffe der Ausbeutung und Entfremdung in ihrem spezifisch marxistischen Gebrauch fort. Wenn daher ein Marxist von Unterdrückung spricht oder von Ausbeutung, hat man sehr sorgfältig auf die empirischen Belege und auf die theoretische Interpretation zu achten, aus denen solcher Sprachgebrauch seine Berechtigung zieht. Wenn die Befreiungstheologen nicht so häufig engagierte Marxisten wären, die solche kritische Reflexion mehr oder weniger durch ihr Engagement ersetzen, könnte ihre Diagnose eines Zustandes der »Unterdrückung« in ihren Gesellschaften bedeutend glaubwürdiger sein, als es der Fall ist, wenn man die marxistische Voreingenommenheit ihrer Analysen bedenkt. Indem die Befreiungstheologen aber als Verstehensbedingung für ihre Theologie ein Engagement im Klassenkampf verlangen, wie das auch Gutiérrez tut, fordern sie ein Glaubensbekenntnis zur marxistischen Analyse vor aller theologischen Reflexion, wie J. S. Segundo es kürzlich freimütig ausgesprochen hat in seinem Buch über »Liberacion de la teologia« (1975). Der Ruf nach einem Engagement vor aller kritischen Reflexion klingt in fataler Weise bekannt, und wenn man solches Verlangen zurückweist in Verbindung mit der traditionellen christlichen Botschaft, dann hat man auch ein Recht, es zurückzuweisen im Falle des marxistischen Engagements der Befreiungstheologen.

Im Falle der Befreiungstheologie haben wir es, soweit sie kritiklos eine marxistische Beschreibung der bestehenden Gesellschaft übernimmt, mit einem extremen Beispiel einer politischen Theologie zu tun, deren theologische Argumentation auf weiten Strecken ihre Legitimität nur aus vagen Analogien zur soteriologischen Sprache des Christentums bezieht. Dieses Verfahren läuft faktisch, wenn auch ungewollt, darauf hinaus, die christliche Sprache und den christlichen Glauben anderen Anliegen dienstbar zu machen, deren Infragestellung nicht zugelassen wird.

Die in alledem enthaltende Spiritualität scheint auszugehen von einer Enttäuschung am vorhandenen Gesellschaftssystem. Diese Enttäuschung nährt sich aus vielen Quellen. Eine von ihnen, die im Falle der dialektischen Theologie besonders bedeutsam ist, war die Auswirkung des Ersten Weltkriegs auf den westlichen Kulturoptimismus. Eine viel allgemeinere Vorbedingung ist die Erfahrung der Sinnlosigkeit in den bürokratischen Verwaltungsstrukturen der modernen industrialisierten Gesellschaft (P. Berger). Eine speziellere ist die Armut in den sogenannten Entwicklungsländern. Doch diese Erfahrung allein kann die Entwicklung der neuen politischen Spiritualität nicht erklären, da es Armut und menschliches Leiden durch die Jahrhunderte gegeben hat, ohne daß es zu einer solchen Antwort darauf gekommen wäre. Daß sie heute in Gestalt einer Spiritualität politischer Befreiung entsteht, muß auch als Reaktion auf die Kritik an der Religion als eines bloßen Narkotikums verstanden werden, das zur Stabilisierung sonst unerträglicher politischer Strukturen beiträgt. In vielen Fällen kommt dazu das Gefühl, daß die überlieferte Religion irrelevant ist und daß sie vielleicht wieder relevant werden könnte durch Umsetzung ihrer Inhalte in politische Veränderung. Alle diese Faktoren und andere mehr dürften beitragen zu der erstaunlichen Faszination, die der Marxismus gerade in der zeitgenössischen Theologie ausübt. Erstaunlich ist das nicht nur, weil das theoretische Konzept des Marxismus heute in den fundamentalsten Fragen als intellektuell diskreditiert gelten muß, sondern auch weil es in der historischen Erfahrung dieses Jahrhunderts ein breites Belegmaterial gibt für den Verdacht, daß die Gesellschaftstheorie, auf die die Befreiungstheologen ihre Hoffnung auf Befreiung stützen, letzten Endes überall zu verschärften Formen systematischer Unterdrückung führt.

Um der Zeitstimmung zu begegnen, die politische Positionen zum Gegenstand eines religiösen Engagements erhebt, sollte die christliche Theologie ihrerseits den Zusammenhang von Heiligung und Politik betonen. Dieser Zusammenhang darf aber nicht in vagen Analogien begriffen werden, die zu einer faktischen, wenn auch nicht beabsichtigten Preisgabe der Identität des Glaubens selbst führen. Zu den notwendigen Elementen des Zusammenhangs von Heiligung und Politik sollten die folgenden gezählt werden:

Erstens, das theokratische Element ist dabei unentbehrlich. Es muß erneuert werden auf der Basis einer pluralistischen, »ökumenischen« Spiritualität, die das alte Problem dogmatischer Uniformität und Intoleranz hinter sich läßt. Ohne eine Erneuerung der theokratischen Idee läßt sich der Gedanke der Heiligung nicht auf die religiösen Substrukturen der Gesellschaft ausdehnen. Persönlich erwarte ich eine solche neue Manifestation des theokratischen Gedankens als ein mögliches Nebenprodukt des ökumenischen Prozesses der christlichen Einigung.

Zweitens kann der Schritt vom Thema der Heiligung zur Politik nicht erfolgreich vollzogen werden ohne eine christliche Theorie sozialer Gerechtigkeit. Eine solche Theorie müßte eine kritische Beschreibung des Gesellschaftssystems und seiner Institutionen auf der Basis seiner religiösen Grundlagen erarbeiten, die – jedenfalls im Falle des Christentums – immer in der Geschichte verwurzelt sind. Mit anderen Worten: Die Abstraktionen der Vertragstheorie der Gesellschaft müssen aufgehoben werden im Zusammenhang einer Deutung der einzelnen Gesellschaften in Kategorien von Erwählung und Berufung, Rechtfertigung und Gericht (R. Neuhaus).

Die politische Wirkung einer christlichen Theorie der Gerechtigkeit wird von der Erneuerung der theokratischen Idee und ihrer Überzeugungskraft abhängen, und eine theokratische Frömmigkeit kann wirksam werden nur durch eine Theorie der Gerechtigkeit, die den Rahmen des Gedankens der Gottesherrschaft benutzt, um die gesellschaftliche Wirklichkeit im ganzen neu zu definieren. Ohne diese beiden Elemente ist es kaum vorstellbar, wie eine »politische Theologie« gegen die Versuchung geschützt werden kann, das Evangelium anderen Anliegen dienstbar zu machen als der Herrlichkeit und Ehre des Gottes, der sich selbst in Jesus Christus offenbart hat.

V. Auf der Suche nach dem wahren Selbst

Anthropologie als Ort der Begegnung zwischen christlichem und buddhistischem Denken

Der fortgesetzte Prozeß der Modernisierung in den säkularisierten Gesellschaften der westlichen Welt hat bei ihren individuellen Gliedern zunehmend intensive und verbreitete Gefühle der Entfremdung erzeugt. Die Entwicklung der Industrialisierung und Bürokratisierung läßt die moderne Gesellschaft in den Augen der Individuen als ein außerordentlich komplexes und anonymes System erscheinen, das sich um die persönlichen Bedürfnisse und Probleme des Individuums nicht kümmert. Infolge des Zerfalls oder zumindest der Schwächung der Integrationskraft traditioneller sozialer Strukturen wie der Familie, wo der einzelne Mensch einen sinnvollen und anerkannten Platz einnahm, fühlt sich das Individuum häufig heimatlos und verlassen, sogar im persönlichen Zentrum seines oder ihres Lebens.[1] Persönliche Identität ist zum Problem geworden. Viele Menschen suchen derartige Probleme mit Hilfe des Psychologen zu bewältigen. Andere aber werden sich bewußt, daß ein sinnvolles Leben, wie sie es ersehnen, nicht als Ergebnis ihres eigenen Handelns hervorgebracht werden kann. Der Inhalt des Lebens, für den sich das Ich von sich aus zu entscheiden vermag, kann schon allein aus diesem Grunde als unverbindlich und kraftlos erscheinen, weil er nämlich eine Sache willkürlicher Entscheidung ist. Wenn in solcher Weise das Ich als solches unter Verdacht gerät, mag ein Mensch seinen Frieden finden durch die buddhistische Botschaft und in der Praxis buddhistischer Meditation, indem er sich in die Hinfälligkeit und Vergänglichkeit des Ich, seiner jeweiligen Anliegen und seines Leidens an einer sich ihm versagenden Welt versenkt. Die Verheißung solchen Friedens steht natürlich jedem offen, dem es um persönliche Identität, um sein wahres Selbst geht. Buddhistische Lehre und Psychoanalyse scheinen hier nahe benachbart. Doch ihre Gebiete sind verschieden. Während der Psychotherapeut das Ich stärken will, fordert der Buddhismus dazu auf, den Ansprüchen und Anliegen des Ich zu entsagen. Das wird uns als der einzige Weg zur Entdeckung unseres wahren, authentischen Selbst und zu dauerhaftem Frieden empfohlen.[2]

Buddhistische Spiritualität scheint zumindest potentiell eine bemerkenswert große Relevanz für die spirituellen Bedürfnisse des sich als entfremdet erlebenden Individuums in modernen säkularen Gesellschaften zu besitzen. In mancher Hinsicht scheint der Buddhismus eine ungezwungenere Antwort auf solche Bedürfnisse zu bieten als die christliche Bußfrömmigkeit, die das traditionelle Christentum des Westens in so vielen seiner Lebensformen geprägt hat. Buddhistische Lehre verlangt nicht als erstes, daß der einzelne sich als Sünder bekennt, persönlich verantwortlich für den erbärmlichen Zustand des eigenen Lebens und seiner gesellschaftlichen Umgebung. Der Aufruf zur Buße bedeutet für das Individuum eine erhebliche Zumutung, entspricht aber nicht immer der Weise, wie es sich wirklich erfährt. Die Erfahrung, die die Menschen von sich selber und andern in der modernen Gesellschaft gewinnen, scheint eher die Vorstellung der Machtlosigkeit des einzelnen gegenüber einem anonymen System nahezulegen. Im privaten Lebensbereich sind moralische Maßstäbe, an die sich der einzelne in früheren Generationen hielt, geschwächt oder aufgelöst worden infolge der Pluralisierung individueller Lebensstile. Auch aus diesem Grunde entspricht bei vielen Individuen der Zumutung des Sündenbekenntnisses keine unbezweifelbare Erfahrung des eigenen Lebens mehr. In vielen Fällen mag man noch sich selber überreden, daß es sich doch so verhalte. Aber ist das nicht eine sehr viel künstlichere und mühsamere Form des Selbstverständnisses als das Eingehen auf die Probleme persönlicher Identität, die nicht erst künstlich produziert werden müssen, sondern sich mit unabweisbarer Evidenz aufdrängen? Es scheint, daß das Christentum seine Botschaft entschlossener auf diese Ebene menschlicher Erfahrung beziehen sollte. Der Begriff der Sünde gehört nicht in erster Linie zur Unmittelbarkeit persönlicher Selbsterfahrung, sondern hat seinen Platz eher auf der Ebene der Erklärung solcher Erfahrung. Es ist nicht wahr, wie es die pietistische Tradition annahm, daß jeder einzelne Mensch, wenn er nur ehrlich genug ist, seine Sündhaftigkeit als Inhalt eines unmittelbaren Wissens um sich selber eingestehen muß. Ein christliches Selbstverständnis ist schon vorausgesetzt, damit wir von daher eine bestimmte Struktur unseres Verhaltens als sündhaft identifizieren können. Natürlich braucht man nicht zu leugnen, daß manche Menschen sich immer noch unmittelbar als Sünder erfahren können. Doch solche Erfahrung bildet dann einen Sonderfall. Beinhaltet sie mehr als gelegentliche Verletzungen von Einzelvorschriften des göttlichen oder moralischen Gesetzes, das dabei immer schon zunächst einmal als solches und also als verbindlich akzeptiert sein muß, dann liegt der Erfahrung eines Menschen von sich selbst als Sünder immer schon die verinnerlichte Übernahme einer ganz bestimmten Beschreibung der menschlichen Subjektivität zugrunde. In der mittelalterlichen Kirche und zur Zeit der Reformation konnte solch eine Verinnerlichung der christlichen Lehre vom Menschen als Sünder allgemein vorausgesetzt werden. Das ist jedoch heute nicht mehr der Fall, und daher kann es auf die Dauer keine wirksame Strategie der Evangelisation und der christlichen Verkündigung sein, dem Individuum das Bewußtsein seiner eigenen Sündhaftigkeit zuzumuten, um so eine Erfahrungsbasis für andere christliche Glaubensaussagen, nämlich für den Glauben an Gottes Vergebungswort und alles, was damit zusammenhängt, zu gewinnen.

Wenn man sich der Einsicht in die Problematik dieser Situation öffnet, wird die Lehre von der Sünde keineswegs notwendigerweise ihres deskriptiven und erklärenden Wertes beraubt. Ein Gebrauch des Sündenbegriffs als Deutungskategorie setzt jedoch eine anderweitige Erfassung der Struktur menschlicher Subjektivität voraus, und erst hier erreichen wir den Boden der Erfahrung, da menschliche Subjektivität nun einmal durch ein Wissen von sich selbst in der einen oder anderen Form gekennzeichnet ist.

Die anthropologische Analyse des menschlichen Selbst scheint also einen angemessenen Boden für den Dialog zwischen Christentum und Buddhismus zu bieten. Das mag mehr oder weniger auch für den Dialog mit anderen Religionen gelten. Aber im Fall des Buddhismus kommt der Anthropologie doch eine spezielle Bedeutung zu. Der Dialog mit Judentum und Islam kann sich viel direkter auf den Gottesgedanken konzentrieren. Im Dialog mit dem Hinduismus sind die anthropologischen Fragen eingebettet in die Erörterung des Wesens von Wirklichkeit überhaupt. Solche Fragen stehen im Hintergrund auch des Dialoges zwischen Christentum und Buddhismus. Diese beiden Religionen sind tief verschieden in ihren Auffassungen von den Beziehungen zwischen Mensch und Naturwelt.[3] Dennoch sollte der Dialog zwischen ihnen sich in besonderer Weise auf die Anthropologie konzentrieren. Ein Grund für eine solche Konzentration auf Anthropologie statt etwa auf kosmologische Anschauungen ist, daß beide Religionen, wenn auch in unterschiedlicher Weise, Befreiung des Menschen von seiner Knechtschaft in dieser Welt verheißen.

Vor gut zwanzig Jahren hat Paul Tillich den Unterschied zwischen Christentum und Buddhismus als einen Unterschied in der Antwort auf die Frage nach dem inneren Ziel menschlicher Existenz gekennzeichnet: Während der Christ das *telos* im künftigen Reiche Gottes sucht, findet der Buddhist es nach Tillich im Nirwana.[4] Diese Formel enthält trotz einer gewissen Kritikbedürftigkeit ein wichtiges Wahrheitsmoment, und wir werden darauf zurückkommen. Ein Wahrheitsmoment mag auch in Tillichs Gegenüberstellung von Christentum und Buddhismus als einer personalistischen gegenüber einer transpersonal »ontologischen« Denkweise liegen. Aber eine solche Charakteristik ist doch auch irreführend. Das Christentum beschreibt den Menschen und seine Lage nicht nur in ethischer Terminologie. Tillich mag in dieser Hinsicht zu sehr unter dem Einfluß von Ernst Troeltsch und seiner Gegenüberstellung der »ethischen« Religionen des Westens zu den »ontologischen« Religionen des Ostens gestanden haben. Die beiden Religionen unterscheiden sich nicht in erster Linie in der inhaltlichen Bestimmung des Zieles der Existenz, sondern schon in der jeweiligen Auffassung von der Struktur von Existenz bzw. von menschlicher Subjektivität. Bemerkenswerterweise hat Tillich selbst in seiner strukturellen Analyse der Subjektivität Kategorien entwikkelt, die von einem modernen buddhistischen Denker benutzt werden konnten, um die buddhistische Position dadurch zu beschreiben und die christliche zu kritisieren.

Hisamatsu Shinichi entwickelt in seinem Artikel über »Atheismus« ein Schema von drei Typen der Religion oder der Religiosität: die mittelalterliche heteronome Religiosität, moderne Autonomie und postmoderne »heteronome« Autonomie.[5] Während die heteronome Religiosität durch eine unkritische Annahme von Autoritätsansprüchen gekennzeichnet war, verhält sich das autonome Selbst kritisch zu überlieferten Autoritäten, bleibt aber immer noch unkritisch in Beziehung auf sich selber. Es fragt nämlich nicht nach der Natur und Konstitution des menschlichen Ich als solchen. Nun gehört zur Struktur des Ich ein Element der Negativität, eine Selbstverneinung im Wissen von sich selber als eines endlichen Subjekts, das nicht sich selber konstituieren kann. Das Wissen um diese Negativität weist über das Ich hinaus auf eine quasi »heteronome« Konstitution des Ich durch ein absolutes

Subjekt oder eine vergleichbare Instanz. Hisamatsu verknüpft sodann diese quasi »heteronome« Konstitution des Ich mit der buddhistischen Lehre, daß das wahre Selbst, das erleuchtete Selbst, von dem empirischen Ich verschieden und dennoch zur gleichen Zeit kein anderes ist als dieses.

Hisamatsus typologisches Schema muß jeden gebildeten Christen an Paul Tillichs Typologie von heteronomer, autonomer und theonomer Kultur erinnern.[6] Es ist kürzlich gezeigt worden, daß die gesamte Entwicklung von Tillichs Denken motiviert wurde durch sein Interesse an der Frage einer religiösen Rekonstitution der menschlichen Subjektivität, die das autonome Subjekt transzendiert und es samt seiner Kulturwelt auf der Basis des göttlichen Grundes des Seins zu erneuern vermag.[7] Tillichs spätere Bevorzugung einer ontologischen Sprache erscheint in dieser Perspektive als nur eine weitere Phase seiner Bemühungen um eine theonome Kultur. Dennoch hat Tillich, obwohl er mit Studien zur Philosophie des deutschen Idealismus begann, seine Aufmerksamkeit nicht der Struktur der Subjektivität als solcher zugewendet. Vielleicht ist der Grund dafür darin zu suchen, daß Tillich die Verwirklichung der menschlichen Bestimmung im Gemeinschaftsleben der Kultur suchte und nicht in der Einsamkeit des Individuums. In der letzten Phase seiner Entwicklung, in seiner systematischen Theologie, hat Tillich dann doch in ontologischer Sprache ein Modell der Struktur der Subjektivität vorgetragen, aber die Terminologie von Essenz und Existenz, die er dabei verwendete, blieb halb mythologisch. Der Mangel einer gedanklich stringenten Theorie, die die autonome Subjektivität in eine theonome Interpretation der menschlichen Person integriert, mag die sonst seltsame Tatsache erklären, daß Tillich die Theonomie im Gegensatz zu bloßer Autonomie nicht für die Gegenüberstellung von Christentum und Buddhismus fruchtbar machte, sondern auf diesem Gebiet von dem Schema der Gegenüberstellung von ethischer und ontologischer Religiosität abhängig blieb. Sein Begriff der Theonomie gegenüber der Autonomie hätte den Weg zu einer tiefer dringenden Analyse der buddhistischen Philosophie des Selbst und zu einer einschneidenderen Kritik des modernen Prinzips autonomer Subjektivität öffnen können.

Bei einem Vergleich der beiden Religionen schrieb der buddhistische Philosoph Masao Abe kürzlich, daß buddhistische Erweckung und christliche Bekehrung insoweit übereinstimmen, als beide den Tod des menschlichen Ich als wesentlich für seine Erlösung betrachten.[8] Im Hinblick auf die paulinischen Gedanken, die Abe im Sinne hatte, ist diese Feststellung verständlich. Der Apostel hat ganz unzweideutig behauptet, daß es für den Sünder nur einen Weg zur Erlösung gibt, nämlich mit Christus zu sterben in der Hoffnung, mit ihm zusammen auferweckt zu werden. Die anthropologischen Implikationen dieser Gedanken sind allerdings in der christlichen Theologie nur selten erkannt worden. Gibt Paulus nicht zu verstehen, daß erst der *neue* Adam das wahre Selbst des Menschen offenbart, nämlich die Bestimmung des Menschen zum Bilde Gottes? Was ist aber dann der Status des empirischen Selbst oder Ich? Wer ist der »innere Mensch« von Röm. 7, 22, von dem es heißt, daß er Gefallen am Gesetz Gottes hat? Handelt es sich hier um das empirische Subjekt, das wir im Wissen um unser Ich zu erfahren meinen? Oder handelt es sich im Sinne des Paulus hier um den neuen Menschen? Diese zweite Annahme würde nahelegen, daß Paulus im siebten Kapitel des Römerbriefes über einen Antagonismus in dem wiedergeborenen Christen spricht, wie Luthers Interpretation dieses Textes es annahm. Doch auch wenn wir der entgegengesetzten Auffassung der modernen Exegese folgen, wonach Paulus in diesem Kapitel über den Konflikt im Menschen vor seiner Bekehrung zu Christus spricht, so ist dieser »innere Mensch« dennoch nicht gleichzusetzen mit dem Ich des sog. »natürlichen Menschen«. Vielmehr handelt es sich um die menschliche Person so wie sie im Lichte ihrer Bestimmung zur Erlösung in Christus gesehen wird. Das in dieser Perspektive gesehene Selbst der Person, die ich vor meiner Bekehrung gewesen bin, ist sehr verschieden davon, was ich selber damals als mein Selbst betrachtete, und noch einmal verschieden davon, was jetzt in meinen Augen mein Selbst ausmacht, und dennoch ist all dies auch wieder identisch. Indem er sich identifiziert mit seiner entfremdeten Vergangenheit, setzt der Christ eine verborgene Gegenwart seines wahren Selbst im Kampf des alten Adam voraus, und retrospektiv beruft er sich auf die spärlichen Spuren des wahren Selbst, dessen er sich jetzt erfreut, in seinem damaligen Zustand als Zeugnis für die christliche Identität als Befreiung des »innersten Selbst« der Person, die er zuvor war.

Die radikalen Implikationen dieser paulinischen Betrachtungsweise sind in späterer christlicher Anthropologie kaum erkannt und gewürdigt worden. Vor allem wurde die Bedeutung der Zeit für die Identität des Selbst vernachlässigt. Während der Christ sich nach Paulus mit der Geschichte des alten Adam in anderer Weise identifiziert als der alte

Adam das selber getan haben würde, lokalisierte das spätere christliche Denken den »inneren Menschen« von Röm. 7 im Vermögen der Vernunft als ob jener »innere Mensch« zu aller Zeit dieselbe Instanz wäre. Immerhin lehrte die christliche Theologie auch, daß die natürliche Person durch die Gnade transzendiert wird. Aber die Gnade wurde als eine zusätzliche übernatürliche Qualität gedeutet, die zu dem bereits existierenden persönlichen Selbst hinzutritt, statt als Rekonstitution dieses persönlichen Zentrums selber verstanden zu werden. Vor allem im Denken der westlichen Christenheit galt die menschliche Person, das vernünftige Individuum und Subjekt freier Entscheidung, als die kontinuierliche Basis des Prozesses, der vom Urstand zur Sünde und von der Sünde zur Erlösung führt. Darauf richtete sich die Kritik Luthers: Noch in Beziehung zur Gnade war dem freien Willen des natürlichen Subjekts eine Position zuerkannt worden, die Luther mit Recht als unvereinbar mit dem Neuen Testament, besonders mit der Theologie des Paulus betrachtete. Luther entdeckte von neuem, daß in dem Ereignis der Wiedergeburt nach Paulus nicht nur eine Qualität, sondern das Subjekt selbst verändert wird. Darin liegt die Bedeutung seiner berühmten Wendung, daß wir *extra nos* in Christus gerettet werden. Gemeint ist, daß wir außerhalb unseres alten »Selbst« versetzt werden.[9] Die Kraft des Glaubens besteht darin, daß er uns über unser altes Selbst hinaushebt, weil im Akt des Vertrauens unsere Existenz auf dasjenige und auf denjenigen begründet wird, dem wir uns selbst anvertrauen. Ihm überlassen wir uns selbst, ganz buchstäblich genommen. Weil aber darin die Kraft des Glaubens besteht, darum kann der Akt des Glaubens nicht adäquat als ein Handeln des alten Subjekts verstanden werden. Dieses soll ja gerade überwunden werden im Ereignis des Glaubens. Daher hat Luther den Glauben gern als ein Ergriffenwerden beschrieben, als ein Ereignis spiritueller Ekstase, die uns über uns selbst hinaushebt.[10] Von diesem Gesichtspunkt aus muß man Luthers Kampf gegen den freien Willen verstehen. Luther hat nicht geleugnet, daß die Fähigkeit der Wahl immer ein unterscheidendes Kennzeichen menschlichen Personseins bleibt. Die Skala der Möglichkeiten der Wahl jedoch ist begrenzt durch die Schranken des handelnden und wählenden Subjekts selber. Es liegt nicht in seinem Vermögen, eine völlig neue Person zu werden. Gerade das aber geschieht durch den Glauben an Christus. In ihm finden wir unsere wahre Freiheit, unser authentisches Selbstsein über das hinaus, was wir zuvor waren. Und dennoch ist es wegen der rettenden Liebe und der dem Sünder zugewandten Verheißung Christi unser *eigenes* Selbst, die wahrhafte Identität der Person, die wir schon waren, die aber nun erst endgültig erreicht ist, befreit nicht nur von irgendwelchen äußeren Schranken, sondern von der Schranke unseres alten Selbst.

In der Geschichte des christlichen Denkens ist Luthers Anthropologie durch die Wiederentdeckung und Würdigung des anthropologischen Radikalismus der paulinischen Theologie ausgezeichnet. Man mag sich wundern, wie das zuvor übersehen werden konnte. Eine Antwort auf diese Frage ist, daß die entgegengesetzte Auffassung auch ihrerseits aus einem spezifisch christlichen, wenn auch verschiedenen Anliegen erwuchs. Dabei handelt es sich um das Interesse an der Individualität des Menschen und an ihrem ewigen Wert, ein Interesse, das auf die Lehre Jesu selber zurückgeht. Es fand seinen Ausdruck in den Gleichnissen vom verlorenen Schaf und vom verlorenen Sohn. Dieses Interesse veranlaßte die christlichen Denker, jedes einzelne menschliche Individuum als ein unsterbliches Subjekt zu denken. Der Begriff des Subjektes – im modernen Sinne des Wortes – kam auf diese Weise überhaupt erst zustande. Und in Analogie zu Gottes schöpferischer Freiheit dachte man den Akt freier Entscheidung als den Gipfel des nach dem Bilde Gottes geschaffenen menschlichen Personseins. Doch je mehr solche Gedanken als zeitlose Strukturen des Menschseins konzipiert wurden, desto weniger blieb es möglich, der radikalen Umformung und Begründung menschlicher Existenz Rechnung zu tragen, die im Akt des Glaubens sich ereignet und im Sakrament der Taufe zur Darstellung kommt.

Im Verlauf der modernen Geschichte und der Geschichte des modernen Denkens gewann nicht die durch Luthers tiefe anthropologische Einsichten eröffnete neue Perspektive die Oberhand, sondern der überlieferte christliche Personalismus, verstärkt durch neue Entwicklungen in den Auffassungen von Naturrecht und politischer Philosophie. In der gegenwärtigen Situation jedoch scheint sich diese traditionelle Auffassung von individueller Freiheit, obwohl sie immer noch vorherrscht, in ständig zunehmende Schwierigkeiten zu verwickeln wegen des wachsenden Bewußtseins von den sozialen Bedingungen menschlicher Identität und, wichtiger noch, wegen eines potentiell epidemischen Gefühls für das Willkürliche und Oberflächliche einer nur formal verstandenen Freiheit. Dieses Gefühl vor allem raubt unserem westlichen Reden von Freiheit das volle Selbstvertrauen.

Eine der Schranken des überlieferten christlichen Personalismus besteht in der gegenwärtigen Situation darin, daß man auf der Basis seiner Annahmen kaum zu einem tiefgehenden Dialog mit dem Buddhismus gelangen kann. Dabei bildet gerade die Schwäche des traditionellen christlichen Personalismus einen wichtigen Faktor zur Erklärung der Attraktivität buddhistischer Ideen im kulturellen Klima der heutigen westlichen Christenheit. In vieler Hinsicht kann die buddhistische Lehre vom menschlichen Selbst tiefsinniger und realistischer scheinen als die herrschende westliche Ideologie individueller Freiheit. In dieser Situation bietet die genuin lutherische Anthropologie eine Chance, der Herausforderung des Buddhismus eher gerecht zu werden, weil Buddhismus und die lutherische Version christlicher Anthropologie einen gemeinsamen Boden in dem von Masao Abe beschriebenen Bewußtsein haben, daß »der Tod des menschlichen Ich wesentliche Bedingung der Erlösung« ist, oder, allgemeiner gesprochen, daß das natürliche Ich noch nicht das wahre Selbst des Menschen ist. Die buddhistische Kritik an der Oberflächlichkeit des geläufigen westlichen Ideals menschlicher Freiheit könnte besonders lutherische Christen an Luthers Kritik an der Lehre vom freien Willen erinnern und sollte sie ermutigen, Luthers kritische Beurteilung der humanistischen Ursprünge unserer modernen Freiheitsphilosophie neu zu würdigen.

Die Konvergenz zwischen lutherischen und buddhistischen Gesichtspunkten in der kritischen Beurteilung der Selbstbehauptung des natürlichen Ich bedeutet selbstverständlich nicht, daß keine bedeutenden Unterschiede zwischen den beiden Religionen mehr übrig blieben. Nach Masao Abe besteht die grundlegende Differenz zwischen Christentum und Buddhismus darin, daß der christliche Glaube sich auf Jesus Christus als eine transzendente Realität bezieht, während der Buddhismus jede Form von Dualismus ablehnt, besonders den Dualismus von Subjekt und Objekt. Daher negiert der Buddhist sein Ich nicht zugunsten eines transzendenten Du, sondern er muß sogar die Autorität des Buddha selbst »töten«, und er muß sogar den Gegensatz des *Nirwana* zum *Samsara* negieren, weil er sich über jede Form von Dualismus und Gegensatz erheben muß.[11]

In so radikaler Weise mag das nur für den Zen zutreffen, während die Betonung des Amida im Jodo-Shin ein etwas anderes Bild bietet. Man erinnert sich, daß sogar Karl Barth beeindruckt war von der Ähnlichkeit zwischen dieser Form des Buddhismus und der protestantischen Überzeugung von der Rechtfertigung durch den Glauben allein.[12] Ein führender japanischer christlicher Theologe, Katsumi Takizawa, hat jedoch kürzlich davor gewarnt, den Unterschied zwischen diesen beiden buddhistischen Schulen in dieser Frage zu überschätzen.[13] Takizawa weist darauf hin, daß die Gestalt Amidas in Shinrans Auffassung nicht etwas völlig Verschiedenes gegenüber dem Ich des Glaubenden bedeutet, während auf der anderen Seite die Meditationstechniken des Zen von Dōgen nicht so sehr als Werk des individuellen Ich betrachtet werden, sondern vielmehr als das des wahren Dharma, das im Individuum wirksam wird. Wenn diese Interpretation zutrifft, sind beide Schulen buddhistischen Prinzipien treu, indem sie beide Seiten des Dualismus von Subjekt und Objekt negieren. Doch wie verhält es sich damit beim Christentum? Behauptet nicht der christliche Glaube, besonders in seiner lutherischen Gestalt, mit Emphase die Realität des uns gegenüber anderen, die Realität Jesu Christi und Gottes, die dem Ich des Glaubenden gegenübersteht? Berühren wir hier nicht die grundlegende strukturelle Differenz zwischen den beiden Religionen, die ihren bedeutsamsten Ausdruck darin findet, daß der Christ an einen transzendenten Gott glaubt, während die letzte Weisheit des Buddhisten das Leerwerden ist, *Sunyata?*

Gerade an diesem Punkt dürfte es wichtig sein, sich vor einem vorschnellen Urteil zu hüten. In einem etwas älteren Artikel hat Masao Abe eingeräumt, daß man auch beim Christentum nicht von einem undifferenzierten Objektivismus im Hinblick auf die göttliche Wirklichkeit sprechen kann. Abe dachte dabei besonders daran, daß in der Verkündigung Jesu »das Reich Gottes nicht einfach transzendent« ist, sondern »sowohl immanent als auch transzendent«, weil es einerseits noch zukünftig, andererseits aber schon gegenwärtige Wirklichkeit ist.[14] Der christliche Theologe kann diese Beobachtung des Buddhisten nur bestätigen, eine Beobachtung, die zusätzliches Gewicht gewinnt, wenn man bedenkt, daß die Wirklichkeit Gottes selbst von der seines Reiches nicht getrennt werden kann. Darin bestand das Wahrheitsmoment schon in Bultmanns These, daß in bezug auf Gott objektivierende Sprache irreführend ist, daß sie die Wirklichkeit Gottes verfehlt. Wenn aber auf der anderen Seite auch ein Subjektivismus vermieden werden soll, wird man nichtsdestotrotz weiter mit der objektivierenden Sprache über Gott arbeiten müssen, aber sich dabei dessen bewußt sein, daß die hier gemeinte Wirklichkeit einen bloßen Objektivismus, der das Subjekt unbetroffen ließe, übersteigt.

Masao Abe ist auch aufgefallen, daß sich in der Christologie eine ähnliche Struktur wie in der Botschaft Jesu von Gottes Reich identifizieren läßt. Das Dogma der Inkarnation enthält die Negation der Vorstellung einer reinen Jenseitigkeit Gottes. Christus wird so zum Symbol einer »Transzendenz sogar über die religiöse Transzendenz«. Nach Abe ist das der buddhistischen Negation des *Nirwana* in seinem Gegensatz zum *Samsara* im Mahayana Buddhismus vergleichbar. Indem er sich dann vom christologischen Dogma der geschichtlichen Person Christi zuwendet, erinnert Abe an die berühmte Wendung des Apostels Paulus Philipper 2, 7, daß Jesus Christus »sich selbst entäußerte, indem er die Gestalt eines Sklaven annahm«. Abe interpretiert diese Wendung ähnlich wie es die lutherischen Theologen des 17. Jahrhunderts taten und im Gegensatz zu der in der modernen Exegese vorherrschenden Tendenz dahin, daß die »kenotische« Selbstverleugnung der historischen Gestalt Jesu Christi zuzuschreiben ist, während die moderne Exegese die Selbstentäußerung auf den göttlichen Logos im Ereignis der Inkarnation bezieht, das die historische Gestalt Jesu Christi allererst konstituiert. Nach Abe zeigt der paulinische Gedankengang, daß »Jesus Christus der Gott ist, der Fleisch wurde, indem er sich entäußerte oder negierte bis hin zum Tode«. Insofern es nun aber eben durch diese kenotische Negation geschieht, daß ... das Immanente und das Transzendente in Jesus Christus identisch wurden«, kann der Buddhist den kenotischen Christus sogar als »the Christian symbol of Ultimate Reality« bezeichnen. Und dennoch bleiben auch nach Abes Urteil Christentum und Buddhismus getrennt durch die christliche Behauptung, daß diese paradoxe Einheit nur einmal in der Geschichte realisiert wurde, nämlich nur in Jesus Christus. Aus diesem Grunde gelangt Abe zu dem Ergebnis, es bleibe im Christentum eben doch eine Art von reifizierender Vergegenständlichung bestehen, weil die Beziehung zwischen Christus und seinen Gläubigen dualistisch bestimmt wird.[15]

An dieser Stelle empfiehlt es sich, noch einmal zu Luther zurückzukehren, weil seine Gedanken über die Selbstverleugnung Christi zeigen, daß sogar das Urteil dieses aufmerksamen und dem Christentum mit Sympathie gegenüberstehenden buddhistischen Kritikers noch weiterer Differenzierung bedarf. Nach Luther nämlich präfiguriert Christus, indem er das Gericht Gottes auf sich nahm, den Weg der Selbstverleugnung, den auch der Christ beschreiten muß, um volle Gemeinschaft mit Christus zu haben. Der Christ hat Gemeinschaft mit

Gott *wie* Christus, indem er wie Christus Gott rechtfertigt in seinen Gerichten. Diese Selbstverleugnung des Christen vollzieht sich nun nach Luther zentral im Akt des Glaubens. Daher sollte man die Beziehung zwischen Christus und seinen Gläubigen nicht als dualistisch bezeichnen, wie das bei Abe geschieht. Sie ist im Gegenteil auf seiten des Gläubigen durch Konformität mit Christus gekennzeichnet so wie auf der Seite Christi durch den Dienst hingebender Liebe. Da ferner der einzelne Glaubende in solcher Konformität mit Christus nicht beharren kann, ohne ebenfalls an der Liebe Christi in Beziehung zu andern zu partizipieren, schließt die Einheit zwischen Christus und den Glaubenden auch die Gemeinschaft der Glaubenden, die Kirche, ein. Diese Einheit kommt zum Ausdruck in der Beschreibung der Kirche als des Leibes Christi. Dabei handelt es sich freilich nicht um eine Einheit ohne Differenzierung. So wie Jesus sich selbst vom Vater unterscheidet, indem er seine Sendung vom Vater empfing, aber auch das Gericht, das er auf sich nehmen mußte, so unterscheidet der Glaubende seine eigene Person von Jesus, indem er seinen Dienst und seine Verheißung an sich geschehen läßt. Doch gerade wegen solcher Selbstunterscheidung gibt es Gemeinschaft zwischen dem Sohn und dem Vater und ebenso zwischen dem Glaubenden und Jesus Christus. Solche Erwägungen gehen sicherlich über Luthers eigene, explizite Aussagen hinaus. Sie wiederholen sie nicht einfach, noch sind sie als historische Interpretation zu verstehen. Aber sie versuchen ihre implizite Struktur in verallgemeinernder Weise zu explizieren. In seinen christologischen Aussagen, besonders in seinen frühen Schriften und Vorlesungen, wich Luther von den üblichen Geleisen mittelalterlicher Theologie ab, indem er die Demut Christi auf das engste auf die Demut des Glaubenden bezog, und aus solcher Beschreibung erwuchs die Intuition einer geistlichen Einheit des Glaubenden mit Christus, die für Luthers Lehre von der Rechtfertigung grundlegend bleiben sollte. Luthers Theologie ist also kein Beispiel einer dualistischen Konzeption von der Beziehung zwischen Jesus Christus und der Gemeinschaft der Christen. Sie schließt ein Element der Unterscheidung zwischen Christus und den Christen ein, aber diese Unterscheidung ist integriert in eine umgreifende Einheit und muß sogar als die bleibende Bedingung solcher Einheit verstanden werden. Auf höchster Ebene ist solche wechselseitige Durchdringung von Unterscheidung und Einheit in der Geschichte des christlichen Denkens immer im Zusammenhang der Trinitätslehre erörtert worden. Luther hat keine systematische Rekonstruktion der Trinitätslehre zu geben versucht, aber er war offensichtlich bemüht, die Trinität nicht von der Geschichte der Erlösung zu trennen, sondern diese beiden Aspekte, Heilsgeschichte und Gotteslehre, zusammenzuhalten. In einer solchen Perspektive finden sich die anthropologischen und die christologischen Aspekte von Unterschiedenheit und Einheit in einem umfassendsten Bezugsrahmen verknüpft, und auf dieser Ebene der Trinitätslehre muß der Disput zwischen Christentum und Buddhismus in der Frage, ob das Christentum eines metaphysischen Dualismus schuldig ist, letzten Endes seine Lösung finden. Das Christentum wird vor der buddhistischen Kritik jedes Dualismus nur dann bestehen können, wenn die Trinität nicht von Schöpfung und Heilsgeschichte getrennt wird, sondern als die christliche Antwort auf die Frage expliziert werden kann, wie Gott und die Welt in solcher Weise verschieden sein können, daß die Welt dennoch nicht von Gott getrennt, noch Gott von der Welt getrennt ist. Der Dialog zwischen den beiden Religionen, der auf der Ebene der Anthropologie mit der Frage nach dem authentischen Selbst des Menschen beginnt, kann sein abschließendes Ergebnis erst in einem Disput über die Natur des letztlich Wirklichen finden, wenn anders die Notwendigkeit einer Transzendenz über die Differenz zwischen Subjekt und Objekt, zwischen Ich und Welt, in der Diskussion über die menschliche Selbstidentität beachtet wird. Auch so bedarf freilich die Verschiedenheit der beiden Religionen noch weiterer Klärung. Sogar in dem Falle, daß der buddhistische Partner davon überzeugt werden könnte, daß die christliche Auffassung nicht als dualistisch zu kennzeichnen ist, wird er fortfahren, sich zu wundern, warum das Christentum so entschieden auf der Einmaligkeit einer bestimmten historischen Person insistiert. Masao Abe berührt diese Differenz, wenn er sagt, daß die Quintessenz des christlichen Glaubens in der Identifikation des Glaubenden mit Christus als der letzten und endgültigen Wirklichkeit durch den Akt des Glaubens liege. Das Wesen des Zen bestehe dagegen weder in einer Identifikation mit Christus, noch mit Buddha, sondern in einer Identifikation mit der Leere.[16]

An diesem Punkt könnte der Christ versucht sein, das Instrument der buddhistischen Kritik auf seinen Meister anzuwenden und zu fragen, ob nicht vielleicht sogar das Leere immer noch ein dualistischer Begriff ist. Diese Frage kann in einer naiven und in einer reflektierteren Form aufgeworfen werden. Die naive Form solcher Kritik findet ihren Anhaltspunkt an der offensichtlichen Differenz zwischen dem unerleuchteten Leben und dem erleuchteten Leben des buddhistischen Mönches, aber verbindet diese Differenz mit der begrifflichen Differenz zwischen *Nirwana* und *Samsara.* Die Frage mag dann etwa lauten: Ist die Weisheit des Weisen und sein Nirwana nicht immer noch der Welt des Werdens und Vergehens, der Welt des *Samsara,* entgegengesetzt? Der so unüberlegt Fragende wird allerdings schnell daran erinnert werden, daß zusammen mit jeder anderen Form des Dualismus sogar auch der Gegensatz von *Nirwana* und *Samsara* negiert werden muß, so daß Nirwana mit Samsara koinzidiert, und daß »Leere« genau diese Koinzidenz meint, nicht aber eine alternative Realität gegenüber der alltäglichen Wirklichkeit des *Samsara.* Die Frage mag dann freilich in ihrer zweiten, reflektierteren Gestalt wiederkehren. Jetzt richtet sie sich auf die Bewegung des Negierens selber: Konstituiert nicht die Bewegung der Negation unvermeidlich einen neuen Gegensatz bei jedem Schritt der Negation?[17] Zuerst richtet sich die Negation auf die Welt des Entstehens und Vergehens zusammen mit dem empirischen Ich. Daraus ergibt sich der Gedanke des *Nirwana* als entgegengesetzt zu jener Dualität von Ich und Samsara-Welt. Im nächsten Schritt wird das Nirwana selber negiert insofern es dem *Samsara* entgegengesetzt ist, und daraus resultiert der Gedanke des Leeren. Aber ist nicht der Gedanke des Leeren wiederum der Dualität von Nirwana und Samsara entgegengesetzt, so daß er eine neue Form eines Dualismus begründet, den Dualismus zwischen erleuchtetem und unerleuchteten Leben in der Welt des Samsara? Und sogar wenn dieser Dualismus noch einmal auf einer weiteren Stufe überwunden werden könnte, schiene die Form der Negation als solche mit jedem Schritt einen neuen Gegensatz zu produzieren.

Solche Iteration dualistischer Opposition scheint unvermeidlich, es sei denn, der positive Sinn der Negation des Negativen wird nicht als ein Produkt menschlicher Reflexion betrachtet, sondern vielmehr als das Ereignis einer Entrückung, die uns über uns selbst erhebt, ähnlich wie Luther das Ereignis des Glaubens verstand. Doch äußert sich in einem solchen Ereignis nicht eine Aktivität, und zwar eine Aktivität, die uns überwältigt? Wenn das zugestanden wird, dann scheint jedoch bereits der Gedanke einer göttlichen Wirklichkeit involviert zu sein, die uns in einer solchen Erfahrung ergreift. Die Geschichte des Buddhismus selber in seiner Mahayana-Periode legt den Gedanken nahe, daß die Intuition einer göttlichen Wirklichkeit sich wieder bemerkbar macht, sobald der Übergang von einer Methode fortgesetzter Negation zur Aufmerksamkeit auf die positive Realität, die in der Negation des Negativen gegenwärtig wird, vollzogen wird.

Im Christentum ist das Mysterium des göttlichen Eingehens auf das endliche Leben als Affirmation der menschlichen Existenz verstanden worden. Das bedeutet, daß Gott die konkrete, individuelle Existenz des Menschen affirmiert und daß er das in Ewigkeit tut. Das ist es, was Luther als den Inhalt des Verheißungswortes begriff, das in seinem Denken Gottes Beziehung zu seiner Schöpfung zusammenfaßt. Inhalt der Verheißung ist ja die gute Botschaft, die große Freude, Gottes ewige Bejahung seines Geschöpfes. Aus dieser Erfahrung einer ewigen Bejahung durch die göttliche Liebe ergeben sich eine ganze Reihe von Folgerungen, und nur einige von ihnen können hier erwähnt werden:

An erster Stelle ist darin impliziert, daß die absolute Wirklichkeit nicht nur als in gewissem Sinne aktiv und darin als personhaft aufzufassen ist, sondern sie zeigt sich darin auch als verläßlich, so wie es das Bild eines liebenden Vaters nahelegt.

Zweitens impliziert die Intuition des Göttlichen als überwältigende Bejahung des endlichen Daseins, daß nicht nur Gottes Gegenwart in Jesus Christus definitiv ist, Jesus Christus also nicht im Tode bleiben konnte, sondern daß in ähnlicher Weise das historisch Einmalige in jedem individuellen Leben bedeutungsvoll ist, und zwar so sehr, daß die göttliche Bejahung des Geschöpfes die Hoffnung auf eine definitive Zukunft individueller Existenz über dieses vergängliche Leben hinaus begründet, die Hoffnung auf eine Auferstehung der Toten und auf einen neuen Himmel und auf eine neue Erde. Die christliche Empfindung des affirmativen Charakters der göttlichen Wirklichkeit scheint also den Erklärungsgrund für einige der Eigentümlichkeiten des christlichen Glaubens zu enthalten, die für den Buddhisten besonders rätselhaft sind: vor allem die Betonung der einzigartigen Bedeutung der historischen Person Jesu Christi. Diese Eigentümlichkeit muß verstanden werden im Kontext der affirmativen Wertung des geschichtlich Besonderen und Individuellen ganz allgemein, wobei die Besonderheit jedes Einzelfalles entsprechend zu beachten ist.

Die Differenz zwischen der christlichen Bejahung der Wirklichkeit des Lebens zur Grundhaltung der Mahayanaüberlieferung scheint besonders in der christlichen eschatologischen Hoffnung hervorzutreten: Die christliche Bejahung der Wirklichkeit akzeptiert nicht nur die Realität der Welt des Samsara so wie sie ist, in ihrer Vergänglichkeit, sondern zielt auf einen endgültigen Sieg über Tod und Vergänglichkeit. Mit anderen Worten, die christliche Bejahung der Wirklichkeit ist durch eine transformative Dynamik gekennzeichnet, die die christliche Ethik ebenso prägt wie die eschatologische Hoffnung des Christentums. Sogar der besondere Platz, der dem Menschen als dem Pionier der künftigen Erlösung der gesamten Schöpfung (Röm. 8, 19ff.) zugewiesen wird und der ihn heraushebt aus der übrigen Natur, muß im Zusammenhang mit der christlichen Sehnsucht nach der Transfiguration dieser Welt durch die Herrlichkeit Gottes verstanden werden.

Eben dieser transformative Impuls hat im Christentum ebenso wie zuvor in der jüdischen Überlieferung die Betonung der Sünde zur Folge. Sünde ist der gemeinsame Nenner für all das, was dem Geist der Transformation dieses Lebens in die Herrlichkeit Gottes widersteht. Die Sünde widersteht diesem Geist im Inneren des Menschen, der in so besonderer Weise berufen ist, diese Zukunft Gottes in der Welt zu befördern. Daher muß nicht nur die Vergänglichkeit der Schöpfung, wie sie sich im Tode, in Leiden und Krankheit äußert, überwunden werden, sondern auch und vor allem die Sünde. Von daher erklärt sich die Wichtigkeit des Sündenbegriffs in der überlieferten christlichen Frömmigkeit, allerdings auch die davon ausgehende Gefahr, daß die den Geist des Christentums kennzeichnende Bejahung der Wirklichkeit mehr oder weniger verschwindet und versinkt in einer krankhaften Bekümmertheit über die eigene Sündhaftigkeit bis hin zu einem perversen Streben, sich selbst zu rechtfertigen dadurch, daß man sich als Sünder bekennt. Es ist an dieser Stelle nicht nötig, die unterschiedlichen Formen dieser Perversion zu verfolgen, der der Geist des Christentums verfallen kann. Die Feststellung mag genügen, daß die Lehre von der Sünde in ihrer genuinen Gestalt ein begleitendes Moment ist an der grundsätzlich weltbejahenden Botschaft des Christentums. Dieses begleitende Moment gehört zur Botschaft des Christentums darum, weil seine Bejahung der Welt auf Transformation der Welt gerichtet ist und damit die Perspektive eines zeitlichen und geschichtlichen Prozesses eröffnet. Das ist auch der Grund dafür, daß die Befreiung und neue Identität, die das Evangelium von Gottes liebender Bejahung seines Geschöpfes den Menschen zuteil werden läßt, nur durch den Glauben ergriffen werden kann. Durch den Glauben aber wird diese bejahende Liebe und die sie begleitende Freude schon jetzt im menschlichen Leben wirksam. Die spezifische Bedeutung des Glaubensbegriffs im Christentum ist der transformativen und daher historischen Dynamik der göttlichen Bejahung des Individuums zu verdanken. Aus diesem Grunde wird die Identität der menschlichen Person, ihr authentisches Selbst, außerhalb unserer selbst in Christus verwirklicht, wie Luther sagte, und diese Perspektive erlaubt es der christlichen Lehre, auch der menschlichen Erfahrung der Nichtidentität und Inauthentizität Rechnung zu tragen im Zusammenhang ihrer Interpretation der menschlichen Situation, samt der Geschichte jedes einzelnen Menschen auf der Suche nach seinem wahren Selbst, das dennoch in irgendeiner Weise auf dem Wege solchen Suchens auch schon gegenwärtig ist.

Worin also besteht der Beitrag der lutherischen Überlieferung zum Dialog des Christentums mit dem Buddhismus? Der wichtigste Beitrag dürfte in der Konvergenz mit der buddhistischen Kritik an der Selbstbehauptung des empirischen Ich bestehen. Darüber hinaus hat die lutherische Überlieferung eine positive Vision davon zu bieten, wie authentische Selbstidentität durch den Glauben an Christus begründet wird. Von daher erscheint es möglich, buddhistischer Kritik überlieferter christlicher Lehrbildungen Rechnung zu tragen, indem dargelegt wird, daß die christliche Betonung der Einmaligkeit Jesu Christi in den Zusammenhang der transformativen Affirmation gehört, in der die christliche Vision der Beziehung der absoluten Wirklichkeit auf den Menschen zusammengefaßt ist. Die lutherische Lehre von der Rechtfertigung durch den Glauben lehrt nichts anderes als die transformative Affirmation des Menschen durch Gottes Liebe. Solche Auslegung der christlichen Lehre könnte eine Beziehung zur buddhistischen Mahayana-Tradition herstellen, die sich von der Negation der Welt des Samsara (mit Einschluß des menschlichen Selbst) zur Negation der Entgegensetzung des Nirwana zum Samsara wandte und schließlich in der Lehre vom Leeren als einer befreiten Existenz inmitten der vergänglichen Welt des Samsara endete. Die lutherische Lehre von der Rechtfertigung durch den Glauben an Christus kann dazu verhelfen, die christliche Form solcher Affirmation der endlichen Wirklichkeit zu artikulieren. Die Herausforderung durch die buddhistische Konzentration auf die Selbsterfahrung des Menschen mag andererseits dem Christen – und besonders dem lutherischen Christen – dazu verhelfen, eine gewisse Überbetonung der Sünde und der Bußfrömmigkeit zu überwinden, die nicht selten dazu geführt hat, das christliche Evangelium zu pervertieren, indem sie es seiner Freude und seiner weltbejahenden Ausstrahlung beraubte.

Anmerkungen

Kapitel I

1 Siehe dazu vom Vf.: Anthropologie in theologischer Perspektive, 1983, 278ff. und 286ff.
2 Friedrich Nietzsche: Genealogie der Moral II, 16 (1887), Nietzsches Werke hg. G. Colli und Mazz. Montinari VI/2, 1968, 337ff.; vgl. schon Nr. 3–6 und 8 (ebd. 310–318, 321f.).
3 Ebd. II, 20 (346, 14f.).
4 Genealogie der Moral III, 21 (410).
5 Sigmund Freud: Totem und Tabu III, 4.
6 Nietzsche, Genealogie der Moral, II, 19 (343f.).
7 S. Freud: Totem und Tabu, II, 4.
8 J. A. G. Tholuck: Die Lehre von der Sünde und vom Versöhner, 1823 (Tholucks Werke I, 1862), 296.
9 Siehe dazu die Erläuterung dieser Vorstellung bei W. Joest: Ontologie der Person bei Luther, Göttingen 1967, 233–274.

Kapitel II

1 Vgl. z. B. Augustin De Civitate Dei X, 5: ... sacramentum, id est sacrum signum; cf. Thomas v. Aquin, Summa theol. III, 60, 1, sowie J. Calvin, Institutio religionis christianae 1559, IV, 14, 18.
2 Luthers Werke, Weimarer Ausgabe (WA) 2, 742–758, bes. 743 und 754.
3 WA 2, 748.
4 WA 5, 353–378, bes. 356f., 359, 374, 376; vgl. WA 2, 744. Es war eine Konsequenz dieser Akzentsetzung, daß Luther nun erklären konnte, daß beim Abendmahl die Worte viel wichtiger sind als die Gestalten von Brot und Wein (WA 7, 363; vgl. 374).

Kapitel III

1 Semel es baptizatus sacramentaliter, sed semper baptizandus fide, semper moriendum semperque vivendum (Weimarer Ausgabe 6, 535, 10).

Kapitel IV

1 K. Barth: Der Römerbrief, 2. Ausg. 1922, 459 ff.
2 K. Barth: Christengemeinde und Bürgergemeinde, Bielefeld o. J. (1946), 32 f. (n. 17).
3 J. Moltmann: Theologie der Hoffnung, 1964, 272 und 303.
4 J. Moltmann: Der gekreuzigte Gott, 1972, 309; vgl. den Aufsatz »Die Revolution der Freiheit« (zuerst in: Evangelische Theologie 27, 1967, 595–616, seit 1968 auch in: Perspektiven der Theologie, 189–211, bes. 202 ff.).
5 G. Gutiérrez: Theologie der Befreiung, 1972, 190 ff. Zur Beziehung dieser neuen Spiritualität der Befreiung zur Volksfrömmigkeit in Lateinamerika siehe den Artikel von J. M. Bonino zu diesem Thema in Concilium 10, 1974, 455 ff.
6 Siehe dazu z. B. Norman Cohn: The Pursuit of the Millenium. Revolutionary Millenarians and Mystical Anarchists of the Middle Ages (1957), bearbeitete und erweiterte Ausgabe Oxford U. P., New York 1970, bes. 53 ff., 198 ff., 223 ff.
7 E. Troeltsch: Die Soziallehren der christlichen Kirchen u. Gruppen, 1912, 733 ff.
8 Näheres dazu in meinem Aufsatz: »Luthers Lehre von den zwei Reichen«, in: Ethik und Ekklesiologie, 1977, 97–114.
9 Diesen Sachverhalt hat besonders W. Joest eingehend untersucht: Gesetz und Freiheit. Das Problem des *tertius usus legis* bei Luther und die neutestamentliche Parainese (1951), 2. Aufl. 1956, 65 ff., 68 ff.
10 Siehe dazu W. Krusche: Das Wirken des Heiligen Geistes nach Calvin, 1957, 275 ff. (auch schon 265 ff.).
11 Ebd. 245 ff. und bes. 253 f. (Calvins Kommentar zu II. Thess. 2, 13). Siehe auch Calvins Institutio religionis christianae III, 14, 18 f.
12 Institutio IV, 11, 5 und IV, 12, 2.
13 Siehe W. Krusche a. a. O. 110 ff.
14 Krusche a. a. O. 333 ff.
15 W. Niesel: Die Theologie Calvins (1938) 2. Aufl. 1957, 228, bes. zu Corpus Reformatorum 13, 69.17; 14, 342. Siehe auch Institutio IV, 20, 5.
16 Niesel 229 ff. Vgl. auch Institutio IV, 20, 9.
17 Corpus Reformatorum 43, 374. Siehe auch Institutio IV, 20, 8: Atque, ut libenter fateor nullum esse gubernationis genus isto beatius, ubi libertas ad eam quam decet moderationem est composita... Quin etiam huc summa diligentia intenti magistratus esse debent, ne qua in parte libertatem, cuius praesides sunt constituti, minui, nedum violari patiantur.
18 Dazu siehe W. Krusche a. a. O. 114 ff. und die dort angeführte Literatur.
19 J. L. Adams: Theokratie, Kapitalismus und Demokratie, in: Zeitschrift für Evangelische Ethik 12, 1968, 247–267, bes. 252 f. M. Walzer: The Revolution of the Saints. A Study in the Origins of Radical Politics, Cambridge Mass. (Harvard U. P.) 1965.

20 Belege hierzu in meinem Buch: Die Bestimmung des Menschen. Menschsein, Erwählung und Geschichte, 1978, 79f. und 123.
21 J. Bohatec: Calvins Lehre von Staat und Kirche mit besonderer Berücksichtigung des Organismusgedankens, 1937, 147, 154, vgl. 125.
22 Oliver Cromwell: Letters and Speeches, ed. Th. Carlyle vol. V, New York 1969, 27f.
23 Exemplarisch dafür ist John Lockes gefeierter »Essay concerning the true original extent and end of civil government« 1690 ed. W. S. Carpenter (Two Treatises of Civil Government) London (1924) 1962. Siehe bes. das Kapitel über den Naturzustand ebd. 118ff.
24 R. Niebuhr: Die Kinder des Lichts und die Kinder der Finsternis. Eine Rechtfertigung der Demokratie und eine Kritik ihrer herkömmlichen Verteidigung (engl. 1945) deutsch 1947.
25 So H. Assmann: Politisches Engagement aus der Sicht des Klassenkampfs, in: Concilium 9, 1973, 276–282.
26 G. Gutiérrez: Theologie der Befreiung (1972), deutsch 1973, 41f.
27 Cambridge Mass. 1971.
28 Dieses Problem wird schon in der sog. »Dependenztheorie« überspielt, die wirtschaftliche Abhängigkeit als in sich böse (aber nur im Falle der Abhängigkeit von kapitalistischen Gesellschaften) ansieht, weil der Kapitalismus angeblich solche Abhängigkeit und Unterentwicklung allererst produziert. Siehe dazu Hans Zwiefelhofer: Zum Begriff der Dependenz, in: Befreiende Theologie (hrsg. K. Rahner u. a.) 1977, 34–45. Wie im Anschluß an solche Analysen wirtschaftliche Abhängigkeit sich ohne weiteres als »Unterdrükkung« darstellt, wird im gleichen Bande durch den Beitrag von L. Boff (46ff., bes. 52f.) illustriert.
29 M. Buthelezi: Ansätze Afrikanischer Theologie im Kontext von Kirche in Südafrika, in: Theologie im Konfliktfeld Südafrika. Dialog mit Manas Buthelezi (Studien zur Friedensforschung 15) hrsg. I. Tödt, München-Stuttgart 1976, 33–132, bes. 43ff. und 50ff., sowie 121ff.
30 Siehe bes. J. Cone: God of the Oppressed, New York (Seabury) 1975. Zur Auseinandersetzung mit Cone innerhalb der »schwarzen Theologie« selber und zu den Besonderheiten der südafrikanischen gegenüber der nordamerikanischen schwarzen Theologie vergleiche den informativen Beitrag von A. Boesak: Auszug aus der Wüste. Auf dem Wege in eine Welt der Menschen, in dem in der vorigen Anm. genannten Sammelband 133–159, bes. 137ff., 140ff., 149ff., 155ff.
31 Zur Unterscheidung zwischen relativem und absolutem Naturrecht siehe E. Troeltsch: Die Soziallehren etc., 171ff., sowie 762ff.

Kapitel V

1 Siehe P. Berger: The Homeless Mind. Modernization and Consciousness, New York 1973.

2 Ashok Kara: The Ego Dilemma and the Buddhist Experience of Enlightenment, in: Journal of Religion and Health 18, 1979, 144–157 schreibt der buddhistischen Erfahrung der Erleuchtung eine direkte Bedeutung für die psychoanalytische Theorie zu. Aber er anerkennt auch, daß im Gegensatz zur Erleuchtung, die sich nicht auf das Ich bezieht (150), »psychotherapeutic approaches essentially focus on ego existence« (157). Das bedeutet: »They do not attempt to resolve the dread of ego existence«, sondern ermutigen die Menschen »to accept the dread of the arbitrary ground of freedom« (157).

3 M. Abe: Man and Nature in Christianity and Buddhism, in: Japanese Religions 7, 1971, 1–10.

4 P. Tillich: Christianity and the Encounter of the World Religions, New York 1963, 63 f. (deutsch: Gesammelte Werke Bd. 5, Stuttgart 1964, 82 f.).

5 Sh. Hisamatsu: Atheismus. Mit Vorbemerkungen von H. Waldenfels, in: Zeitschrift für Missionswissenschaft und Religionswissenschaft 62 (1978), 268–296.

6 P. Tillich: Religionsphilosophie (Berlin 1925), Stuttgart 1962, 61 ff. Siehe dazu auch die Erörterungen bei J. L. Adams: Paul Tillich's Philosophy of Culture, Science and Religion, New York 1965, 52 ff.

7 G. Wenz: Subjekt und Sein. Die Entwicklung der Theologie Paul Tillichs, München 1979.

8 A.a.O. 8 (Anm. 3).

9 Vgl. dazu W. Joest: Ontologie der Person bei Luther, Göttingen 1967, 233–274.

10 A.a.O. 219 ff.

11 M. Abe, a.a.O. (Anm. 3), 9. Ein ähnliches Urteil findet sich bei Hisamatsu (Anm. 5). Siehe auch H. Waldenfels: Absolutes Nichts. Zur Grundlegung des Dialogs zwischen Buddhismus und Christentum, 1976, 28 ff., 55 ff. (zu Nishida) 98 ff. (zu Nishitani).

12 K. Barth: Kirchliche Dogmatik Bd. 1/2, Zollikon-Zürich, 4. Aufl. 1948, 372 ff.

13 K. Takizawa in einer Vorlesung von 1977 über die Macht des Anderen und die Macht des Selbst im Buddhismus im Vergleich zum Christentum. Siehe jetzt auch K. Takizawa, Reflexionen über die universale Grundlage von Buddhismus und Christentum, 1980, 46 ff. und bes. 55 ff.

14 M. Abe: God, Emptiness and the True Self, in: The Eastern Buddhist, Vol. II, No. 2 (New Series) 1969, 15–30 (Zitat S. 20).

15 A.a.O. 21.

16 A.a.O. 22.

17 Diese Frage wurde von Tai Dong Han in seinem Artikel: »Mediation Process in Cultural Interaction. A Search for Dialog between Christianity and Buddhism« aufgeworfen. (Der Ort der Veröffentlichung dieses Artikels ließ sich nicht identifizieren.)